人間にとって教養とはなにか

橋爪大三郎

SB新書
530

Joy of Lifelong Learning

by Daisaburo HASHIZUME

SB Creative Corp. Tokyo Japan 2021:01

まえがき

教養を身につけたい。

教養を身につけると、何かいいことがありそうだけど、どんないいことがあるのか。そもそも、教養とはどんなものか、知りたい。

そんなあなたに、この本はぴったりです。

でも、この本を一冊読んだだけですぐ教養が身につきます、とまでは言いません。教養は、本を何冊も読むことなのですから。

じゃあ、本を何冊も読めばいいのか。本を何冊も読んだら必ず、教養が身につくかというと、そうでもない。ただの物知りになって終わりかもしれない。

なら、どうすればいいのよ、というせっかちなあなたのために、結論をさきにのべましょう。

なぜ教養を身につけるのか

そもそも教養は、何のためにあるか。

まず第一に、自分のため。教養が身につけば、満足する。自信がつく。ものごとを学ぶのが楽しい。そうやって前向きに、学びを深めます。

その際、学ぶのは「ほどほど」にする。結論まで学ぼうとしないほうがいい。途中まで学んだら、あとは自分の頭で考えます。自分で結論にたどりつくのです。DIYと同じです。最後は自分で仕上げます。そうすると、たどりついた結論が、自分の考えになります。

でも教養は、自分のためだけ、で終わりません。その先があります。

大勢の人びとが、めいめいこうやって教養を磨き、深めていくと、そこから相乗的な効果が生まれます。言論が活発になる。活字文化が元気になる。投票率も高くなる。その結果、政治の質が高まります。民主主義がほんものに一歩近づきます。

そう、あなたが、そして一人ひとりが教養を身につけるなら、そのぶん社会がよくなるのです。

教養は、自分のため。それから、社会のためにもあるのです。

そこで、教養原論――教養の歴史

教養がそんなにいいものなら、ぜひ身につけたい。

教養がどんなものか、詳しく知りたい。

そこで、作戦会議をします。

教養は、漠然としているので、作戦なしでは、すぐ道に迷ってしまいます。そこで、まず方針をはっきりさせましょう。

この「まえがき」は、本書の予告編です。本書を終わりまで読めば、教養についてどんな見取り図が手に入るのか、ひと足先にわかります。

まえがきでは、「教養とはなにか」についての教養、つまり「教養原論」をのべてみました。教養が、ただの飾りものではなく、あなたに不可欠だとわかるでしょう。

明治の日本はなぜ、近代化できたのか

ここで、時計の針を巻き戻して、明治の日本をふり返ってみましょう。

明治維新は順調でした。そのため日本人は、外国から知識や技術が入って来れば、近代化などすぐできるように思いがちです。

でも、世界を見渡してみれば、そうでもないとわかります。当時、イスラム世界にも、インドにも、中国にも、世界中に西欧の勢力が進出していました。イスラムもインドも中国も、元は西欧より進んだ地域でした。それなのに、近代化がうまく行かず、植民地になってしまいました。

それもこれもリーダーの、知識の違いです。

イスラムのリーダーは、イスラム法学者でした。アラビア語の法律書は読むけれど、西欧の知識を取り入れるのに熱心ではありませんでした。

インドのリーダーは、バラモン（宗教を担当するカーストの人びと）でした。サンスクリット語の宗教書を読むけれど、西欧の知識を取り入れるのに熱心ではありませんでした。

中国のリーダーは、文人官僚（科挙に合格して政府で働く人びと）でした。漢文の古典を読むけれど、西欧の知識を取り入れるのに熱心ではありませんでした。

彼らは彼らなりの知識がありすぎて、西欧の知識を受け入れられなかったのです。

さて、日本のリーダーは、武士でした。武士は、西欧の知識を受け入れるのに前向きでした。なぜでしょう。

武士とは何だったのか

武士ははじめ、貴族に雇われた荘園のガードマンだったのが、やがて領主になります。武装しています。戦国時代には、城下町に集められ、常備軍となりました。江戸時代になると、朱子学を学んで、行政も担当しました。藩は能力主義で、規律も厳格でした。

武士の行動は合理的で、それなりに近代的でした。

第一に、年貢を集めるのも、藩の会計も、法律や裁判も、全部書類に記録しました。

第二に、自分の利害よりも、主君への忠誠や藩の利害を優先しました。

第三に、全国規模の市場経済（コメ相場）が成立していて、武士はそれを前提に行動しました。政経分離です。政治優位の中国とは違いました。ちなみに町人は、市場法則のもと、勤勉に合理的に行動しました。

第四に、藩は事業体として、殖産興業に励みました。新商品の開発に投資して、事業を興し、収益をはかる。資本主義の先駆形態です。

第五に、武士は国防に責任を負っていました。西欧の軍事力が強力だとわかると、武器を輸入したり国産化したりする努力を始めました。イスラムやインドや中国の知識人は、軍人でないので、のんびりしていました。

第六に、共通の行動規範がありました。朱子学は、政治、経済はもちろん、哲学、宇宙論、歴史や法律を含む、全体的な知識（つまり、教養）でした。


武士には特に、専門はありません。その代わり、問題を解決しなければという強い責任感を持っていました。必要ならあらゆることを学び、問題を解決するために献身する覚悟をもっていました。

ありあわせの知識を組み合わせて、現実の問題を解決する知性を、つまり教養をそなえていました。

以上の特徴をそなえた武士は、日本の近代化の主役となったのです。

教養の原点はルネッサンス

このように日本には、武士という近代化の担い手がいました。西欧のリーダーとよく似た、教養をそなえていました。

武士は武士の世界を生きていました。けれども突然、自分たちの知識は不足している、と思うようになったのです。西欧の軍隊はとても強力らしい。戦争すれば負けてしまうだろう。それから猛烈に、西欧の知識を吸収しました。

では、西欧のリーダーは、どんな教養をもっていたのか。その原点は、ルネッサンスです。

ルネッサンスの当時、人文主義なるものが流行りました。ギリシャ語を勉強して、古代ギリシャの哲学や文学を読みまくる、という運動です。古代ギリシャは、キリスト教よりも前なので、「人間に罪がある」という考え方をしていません。人間であることを謳歌する、ルネッサンスの下地になります。

聖書を読まないでギリシャ語の本ばかり読んでいる。お前たちは無神論ではないのか。カトリック教会が警戒すると、いえ、新約聖書はギリシャ語が原文ですから、原文を読んで信仰を深めたいのです、と言い訳しました。
人びとの学力が高まり、聖書を原文で読めるようになったことが、宗教改革への導火線になります。

ルネッサンスの万能の才人と言えば、レオナルド・ダ・ヴィンチでしょう。画家であるだけでなく、鋳造や、土木建築や、解剖や、飛行機や潜水艦の設計や、なんでも手がけました。

レオナルドは一五世紀半ば、イタリアの田舎に生まれた婚外子で、ちゃんとした教育を受けず、フィレンツェのとある工房に徒弟奉公に出されました。工房は注文の絵を描くほか、なんでも製作する中小企業でした。やがてレオナルドは、ミラノに移ります。城砦も造れます、新しい武器も開発します、と売り込んでいます。イタリアは都市国家の集まりで、日本の戦国時代のようにいつも争っていたので、軍事技術が重宝されたのでした。

レオナルドは、ラテン語がよくできなかったため、なんでも自分で勉強するしかありませんでした。本にどう書いてあるかでなく、実物を信じました。学問の境界にとらわれない自由な態度は、独学から生まれたのです。

万能の才人の名にふさわしい人びとは、当時、多くいました。たとえば、エジンバラの城主ジョン・ネイピアは、レオナルドより百年ほどあとのひと。天文学の計算を簡単にしようと対数を発明し、小数点を考案し、新約聖書の注解を著し、領地を経営し、武器も開発しています。

万能の才人が何人も現れたのはどうしてかと言うと、頼まれればどんな仕事でもやる何でも屋の人びとが、もっと大勢いたからです。世の中のニーズが拡大しているのに、それにみあった専門家がいなかったのです。

そのあとだんだん、さまざまな分野の専門家が現れます。

世俗の学問が現れた

西欧の特徴は、教会の外側に、世俗の学問が発達したことです。

まず、医学。医学は、専門の知識や訓練がいるので、教会とは無関係に、発達して行きました。

つぎに、数学。数学が大発展したのが、西欧の特徴です。

西欧の人びとは、イスラム教徒から、アラビア数字を取り入れました。ローマ数字よりずっと合理的で、計算がしやすいです。インドのゼロも伝わりました。代数学や方程式の概念も学びました。

ギリシャの幾何学も、伝わっていました。

代数学と幾何学を統合したのが、デカルトです。デカルトは、解析学（中学・高校で習う数学）を作り上げました。そのあと、数学は、ますます発展していきます。

数学が、どんなに発展しても、教会は邪魔しませんでした。

それから、法学。

キリスト教徒には共通の法律がないので、めいめいその土地の法律に従いました。民法です。民法はローカルです。

そのうち商業が発達すると、共通の法律が必要になりました。商法です。商法は国際法です。そこで、ローマ法を再発見して、使うことにしました。大学でローマ法を教えました。戦争や外交も、国際法に従います。

法学にも、教会は干渉しませんでした。教会法（教会のルールを決める）と世俗法が分かれているのが、西欧の特徴です。イスラムでは、イスラム教徒みなが従うイスラム法があって、世俗法はありません。

あとは、哲学。哲学は、そのほかの学問、という意味です。

西欧の学問は、神学／医学／法学／哲学、の四つに分かれています。だから四つの学位（博士号）があって、たいていの学問の学位はみんなＰｈＤ（哲学博士）です。

自然科学をめぐるバトル

西欧の特徴は、自然科学が大発展したことです。

神学から哲学が分かれ、哲学から自然科学が分かれました。宇宙や自然は、神が造ったことになっていましたから、もとは神学の守備範囲だったのです。

自然科学に、教会は干渉しようとしました。最初は、天文学です。月が凸凹だとか、土星に輪があるとか、太陽を中心に地球が回っているとか、勝手なことを言ってもらっては困る。それはキミの意見だろう。そして、進化論です。みつかった化石は、古い生物ではなくて、ノアの洪水の証拠に違いない。

でもどうやら、自然は、聖書に書いてあるのと違っているらしい、とわかってきます。

ニュートンが現れて、万有引力の法則で天体の運動や日蝕を予測できるようになった頃には、教会もあきらめてしまいました。

聖書の翻訳

もうひとつ大事な点は、宗教改革をきっかけに、聖書がドイツ語、英語、フランス語に訳されたことです。

それまでみんなラテン語訳の聖書を使って、教会の礼拝もラテン語でやっていました。カトリック教会の共通語です。でも、一般の人びとにはチンプンカンプンです。でもラテン語が共通語なので、本はみな、ラテン語で書くことになっていました。

マルチン・ルターは、ラテン語の訳は信用ならない、と考えました。そこで原文のギリシャ語、ヘブライ語から、ドイツ語に聖書を翻訳し直したのです。ドイツ語訳の聖書は印刷されて、ドイツに広まりました。英語訳、フランス語訳も、同様に広まりました。これをきっかけに、ドイツ語、英語、フランス語でものを考え、本を書く人びとが増えたのです。

ドイツ語、英語、フランス語を、世俗語といいます。でも、西欧のいい学校では、ラテン語とギリシャ語を、教えることになっていました。

活字文化の誕生

世俗語で聖書を読み、教会の礼拝を行ない、議論を交わすようになると、「国語」の感覚が育ってきます。そして、文学が生まれます。

英語で書かれた文学作品で、傑出しているのは、シェークスピアです。ドイツ語やフランス語でも、多くの文学作品が生まれます。

哲学などの学問的な書物は、ラテン語で書かれていましたが、だんだん各国語で書かれるようになります。印刷されて広まったのは、言うまでもありません。

そのうち、新聞や雑誌も読まれるようになります。

音楽と美術

西欧の音楽は、教会のミサで演奏する宗教音楽と、町や村で演奏する世俗音楽の二種類がありました。一人の音学家が、両方を作曲する場合もありました。

ベートーベン以降は、コンサートホールで演奏する世俗の音楽が主流になります。

絵画は、教会の注文する宗教画が主流で、貴族の注文する肖像画もありました。

宗教改革のあと、フランドルでは、キャンバスに描いて自宅に飾る静物画が多くなります。イギリスでは、風景画も多く描かれます。印象派からあと、宗教画は影をひそめました。

教養の誕生

こうして西欧では、「教養」の考え方がうまれます。

「教養」とは、要するに、教会とは無関係に、社会のリーダーならこれぐらいは知っていて当然、という知識の全体のことです。

まず、ラテン語、ギリシャ語。そして、それらの言葉で書かれた文学など。

法学、哲学、数学、歴史、自然科学。自然科学はお金と時間がかかるので、最初のうちは、貴族や上層階級の人びとが趣味でやっていました。

軍事学。戦争になると貴族は指揮官として戦場に赴いたので、軍事の基礎知識が必要になります。乗馬の練習も必要です。

経済学。最初は、貴族が所領を管理する家政学でした。アダム・スミスが最初の経済学者です。経済学の講座がまだなかったので、道徳哲学を教える教授でした。

フランス語。各国の宮廷は結婚したり、よく行き来があったので、フランス語を共通言語にしていました。そこで、外交や軍事もフランス語が基本になりました。レストランのメニューがいまでもフランス語なのは、その名残りです。

こうして、読まなければならない本が増えてきます。そこで、書斎をつくって、本棚に本を並べておくようになりました。

こういう「教養」の仕組みが、西欧にできあがりました。リーダーとして役に立つことなら、なんでも知っておこう、という精神です。イスラム、インド、中国には成立しなかった、知のあり方です。

さあ、このあたりから、だんだん私たちの教養のあり方に近づいてきます。社会の主役が、市民になります。近代が始まります。

啓蒙思想

教養がひとつにまとまったのが、啓蒙思想です。

本文（第4章）でものべましたが、フランスを中心に、百科全書派という運動が起こりました。教養を成り立たせる知識や学問を、まとめて身につけよう、という運動です。

知識がまとまるには「理性」が接着剤になります。理性は、要するに、数学や論理学や、物理学みたいな学問のこと。合理的にものを考える人間の力です。

人間は、理性を与えられている。理性に従って知識を整理すれば、学問も、人間も、社会も、よりよく進歩していくはずだ。——こう考えるのが、啓蒙思想です。理性は、教会の言うことも聞きません。何を考えるかは、理性が自分で決めるのです。

啓蒙思想は、一八世紀のフランスを中心に、大きな力を持ちました。そして、フランス革命が起こります。

フランス革命がもたらしたもの

フランス革命は、アメリカ独立革命の影響を受けました。

アメリカは、社会の実験場のようなところでした。プロテスタントの人びとが、啓蒙思想（とくに、社会契約の考え方）にもとづいて、憲法を定め、アメリカ合衆国をつくりました。世界で最初の民主主義の国です。

フランス革命も、憲法を定めました。議会もつくりました。

そしてフランスが始めたのが、徴兵制です。徴兵制は、それまでの傭兵制（兵隊を金で雇う）と違って、命令で若者を集めるので、安上がりです。人数も増えました。大軍を率いたナポレオンは連戦連勝です。ほかの国もこのやり方を真似しました。

「徴兵制」と聞くと、日本ではイメージがよくありません。

でも徴兵制は、公平な仕組みで、民主化の原動力になってきました。参政権（選挙で投票する権利）は最初、高額納税者などに限られていました。それが「普通選挙」になるのに、徴兵制が追い風になったのです。

民主主義の時代

民主主義は、ふつうの人びとが政治に参加し、自分たちの運命を決める仕組みです。その中心は、選挙です。

民主主義がうまく行くには、前提となる条件がいくつかあります。

第一に、教育が普及していること。

公教育が普及して、ほとんどの人びとが初等・中等教育を受けていることが望ましい。

第二に、言論、出版の自由があること。

新聞や雑誌が自由に発行でき、誰でも読むことができて、ニュースや意見が人びとにすみやかに伝わること。集会や結社の自由があることも大切です。そうした自由が守られてはじめて、人びとが自分の意見をもつことができます。

第三に、政府がきちんと組織され、社会秩序が保たれていること。

政府は、税金を集め、軍隊や警察もあって、公共の秩序や安全が保たれ、法律も整っていて、人びとは法律に従う。政府も法律に従う。これを法の支配といいます。

こうした条件が揃っていて、はじめて民主主義がうまく行きます。

一〇〇年ほど前に、ラジオ放送が始まりました。七〇年ほど前に、テレビ放送も始まりました。新聞や、ラジオやテレビを、マスメディアといいます。マスメディアは、人びとの意見（世論）に、大きな影響を与えます。

最近は、インターネットや、ウェブや、SNSが普及しました。これも、人びとの意見（世論）に、大きな影響を与えます。こうして民主主義は、まだ進化を続けています。

近代社会と自由

近代社会は、政治から言えば民主主義。経済から言えば、資本主義。市場経済、自由主義の経済です。

人びとは、さまざまな職業に就きます。農民もいれば、職人もいる。商店主もいれば、現場で働く人びとも、事務職の人びともいます。職業が異なると、利害も異なります。政治は、それを調整するのが役目です。

言論と商業主義

人びとが意見をもち、世論ができあがります。

それには、新聞やテレビなど、メディアの役割が大切です。そして、メディアは、政府から独立していなければなりません。

言論は、この世界について、真実を伝えるのが役目です。言論を受け取る人びとも、それを期待します。

けれども現実は、そうきれい事では片づきません。メディアも営利企業なので、売れないものは扱えません。言論は、商品なのです。

売れさえすればよい。こういう行き方が、商業主義です。

言論に関わる人びとの多くは、商業主義に陥るまいという、良心を持っています。良心と商業主義のあいだに、引き裂かれて仕事をします。

売れていることと正しいことは、別です。売れているもの、トレンドのもの、新しいものを追いかけても、読むべき正しい言論にはたどりつきません。それをわきまえているだけで、言論の海を泳ぐ羅針盤を手にしているのと同じです。

教養はばらばらでいい

教養は、まず自分のためにあるのでした。どんな教養を身につけるかは、自分の勝手です。

でも教養は、自分の狭い範囲を越えていくためにあります。

あるひとは、フランスの現代ファッションに詳しくなる。あるひとは、インドの初期仏教に詳しくなる。あるひとは、中国の古典に詳しくなる。そういう違いがありつつ、ほかの人びとの関心のあり方にも興味をもっている。自分の生活の狭い範囲をはみ出した、知の拡がりを楽しんでいる。

つまり教養は、ひとりの範囲で完結するものではなく、同時代のおおぜいの人びとに関心をもつことなのです。そして、自分を客観化し、自分と社会の関係を見つめてより正しい解決を選び取る助けになるのです。

こうして、教養は、よりまっとうな政治的関心の養分になります。

民主主義を底上げするために

ここから、いまの時代の教養のほんとうのあり方がみえてきます。

かつて教養は、社会のひと握りのリーダーの人びとが、リーダーとして適切な意思決定を行なうための基礎知識でした。

メディアも未発達で、もちろんインターネットもない時代、リーダーは頭のなかに、どれだけ基本的な知識を入れておくかが勝負です。大事な古典を読み、高等教育でさまざまな専門の基礎教育を受け、高いモラルや行動様式を身につけて、指導的なポストに就きました。おおぜいの人びとがフォロワーです。彼ら彼女らに、すぐれた意思決定をしてもらうことは期待できません。そこで、なんでもリーダーが決めて、人びとに指示します。人びとは、リーダーが決めたことなら、と従います。

近代化の初めの頃には、このやり方がふつうでした。教養が大事だ。教養をわきまえたリーダーはさすがだ。人びとはリーダーを尊敬し、教養にあこがれたのです。

そして教養は、教育やメディアが普及するに従って、少しずつより多くの人びとのあいだに行き渡っていきました。

いまや教養は、社会のすべての人びとが、有権者として適切な意思決定を行なうための基礎知識です。

教育が行き渡り、中産階級が勃興し、すべての人びとが自立した市民として尊重されるようになりました。そのあらわれが、政治の面では、民主主義。とくに、普通選挙です。人びとは、選挙で自分の意思を表明し、代表を政府のポストに送ります。その代表がリーダーとなって、重要な決定をします。

選挙によって、有権者は、自分たちの政府をつくりあげるのです。

選挙で選ばれるリーダーは、かつてのように、圧倒的な教養を誇ることができません。情報が広く行き渡り、誰の教養も大して違いがないことは明らかです。リーダーに決定を「お任せ」するわけには行きません。

それなら、選挙で票を投ずる有権者は、リーダー並みの教養にもとづいて、この先の社会はかくあるべきという意思を示すことになります。そういう票が集まって、主権者の総意が表されます。リーダーはそれに従って、政治を行なうのです。

人びとが深く教養を身につけるほど、こうした民主主義の働きを底上げすることができます。これは、誰にとっても望ましいことでしょう。

教養を身につけるのはなぜか。それはまず、自分の喜びのため。そして、人びとと手をたずさえて、よりよい社会をつくり出すため、なのです。

さて、以上で作戦会議は終わりです。

教養はなぜあるのか、なぜ大事なのか、という「教養原論」を読み終わりました。

それでは、具体的にどうやって、大人の学びを深めていけばいいのか。

そのヒントが山盛りに詰まった、各論をどうぞお楽しみください。

『人間にとって教養とはなにか』もくじ

第1章　今こそ伝えたい、教養の価値

第2章 人生がたのしくなる教養の身につけ方

第3章
なぜ、本を読むべきなのか

第4章

辞書・事典でしか学べないこと

第5章 知性を磨くネットとの付き合い方

第6章

「深い人」のほんものの教養

第1章

今こそ伝えたい、教養の価値

「問題」には2種類ある

答えは1つ、じゃない

さて突然ですが、世の中には、「答えのある問題」と「答えのない問題」があります。

――ていうことは、みなさん、聞いたことありますか。ある？　じゃあ、なぜこの2種類の問題があるんですか。

まず、「答えのある問題」。これは、簡単に言えば、むかし誰かがその問題を考えて、「これはこうだ」ともう答えを出してある場合。みんなもその答えを聞いて、なるほどたしかに、と納得した。

数学では、ある問題が「これはこうだ」といったん証明されたら、まずひっくり返ることがない。それは、「答えのある問題」になります。

じゃあ、理系はみな「答えのある問題」ばかりかと言うと、そうでもありません。

たとえば、アインシュタインが「一般相対性理論」を唱えた。それまでのニュートン力学は、絶対に正しいわけではなくなってしまった。ニュートン力学の答えが「不正解」というわけではないのですが、ニュートン力学では説明し切れない問題がみつかっていた。それを、アインシュタインの「一般相対性理論」が、説明できるようになったのです。この結果、ニュートンの重力の考え方とか、議論の組み立てが、この世界をそのまま表しているとは言えなくなってしまった。

このように物理学では、「これが答えだ」とそれまで思われていたのが、「じつは違った」になってしまうことがあります。

じゃあ、ニュートンの考えたことは、無駄だったのか。そんなことはありません。アインシュタインのアイデアは、ニュートンがいなければ決して生まれなかったからです。

学問の世界はこんなふうに、前の時代の人びとが出した答えに挑戦することで、進歩して行くものなのです。アインシュタインはそのよい例ですね。

そもそも正しい答えはあるのか

ではなぜ、「正しい答え」があるのか。

算数（数学）の場合。諸説ありますが、たぶん、人間の頭がそうできているから。誰の頭もみな同じなので、答えも同じになる。人間は、1＋1＝2、2×3＝6、と考えるように頭ができているのです。だから、誰かが答えを出すと、みなもそうだと納得する。

理科（自然科学）の場合。それは、自然がそういうふうにできているから。自然の仕組みを「自然法則」といいます。自然法則は、変わらない。誰かが自然法則をみつけると、みなもそうだと確認できる。だから、正しい答えが存在する。

国語の場合。言葉は、時代につれて変化するけれど、百年ぐらいではあんまり変わらない。そしてみんな、同じ言葉づかいをする。だから、正しい答えが存在する。学校では、その言葉づかいを教えるのでした。

社会科（社会科学）の場合。社会のあり方も、時代につれて変化するけれど、ここ数十年はあんまり変わらない。そしてみんな、それに従っている。そこで、正しい答えが存在する。

正しい答えのある問題は、教えやすい。そこで学校では、それを教えます。

学校で教わっていると、誰でもだんだん、どんな問題にも答えがあるような気がしてくるものなのです。でもこれは、錯覚です。この世界には、答えのない問題のほうが、ずうっと多い。

正解は刻々と変化する

答えのある問題をひと通り勉強したら、答えのない問題にチャレンジします。それが、大学です。大学は、研究をするところ。研究とは、答えのない問題に取り組むことです。研究は、いつもチャレンジを繰り返し、少しずつ進歩していく。ニュートンも、アインシュタインも、そうしたチャレンジをしたのです。

前の世代の人びとが出した答えに挑戦することで、研究が進歩するのは、人文学や社会科学でも同様です。

文系の学問（人文学や社会科学）は、「自分たちが生きている社会をどう見るか」をつきつめる研究をします。そこで戦わされる議論は、ものの見方や考え方。つまり「意見」と言ってもいいものです。

「意見」だから、人びとが一致するとは限りません。ある人が「これはこうだ」と考え、みんなもそれに納得したとする。とりあえずそれが「正解」になります。でも、後世の人びとがそれをひっくり返してしまうことが、ときどき起こる。社会が変化すると、人びとの考え方や意見も変化するからです。

そういう意味では、「意見の一致」という「正解」が、時代とともに移り変わっていくのが、文系の学問の歴史と言ってもいいのです。

では、誰が「違う意見」を言えるのか。

誰が言ってもよろしい。

ただし、前の世代の人びとが導き出した「正解」に異論を唱えるには、ひとつ決まりがある。それは、前の世代の人びとの考え方のなかみをよく知ることです。そのうえで、その議論のここがおかしい、と主張しなくてはいけない。ただ「なんとなく気に入らない」では、議論は前に進みません。

社会は「異論の積み重ね」

たとえば一九世紀半ばに、カール・マルクスという経済学者がいた。

マルクスは、市場経済では、資本家ばかりが利益を手にして、労働者は搾取される、と考えました。マルクスの考えは、マルクス経済学という議論にまとまります。（この議論は、価値や剰余価値という概念で組み立てられているのだけど、話すと長くなるので詳しく説明できません。マルクス経済学の入門書か、私の『労働者の味方マルクス』を読んでください。）

このマルクス経済学は、ロシア革命の根拠になり、ソ連を作ることになります。

いっぽうには、市場経済、つまり資本主義がある。マルクス経済学にもとづくソ連は、資本主義に反対する。そこで、東西冷戦のにらみ合いになりました。

ところが、これに異論を唱える人びとが出てきた。マルクス経済学は、労働は、労働者に支払われる賃金以上の価値をうみだす、という。でも、価値は、どうやって定義できるのか。マルクスの『資本論』にいちおうの説明はあるのだが、それは正しいのか。価値が定義できなければ、マルクス経済学は成り立ちません。次第に、異論を聞いて、そうだと思う人びとも増えたのです。

マルクス経済学は、たったひとつの「正解」があると考えました。それに、疑問符がつけられました。この疑問が力をもてば、マルクス経済学の基礎が崩れます。そこで、ソ連は崩壊してしまった。

中国は、ソ連の影響で社会主義国家となり、共産党の一党独裁を続けています。でも経済のなかみは、資本主義になっている。マルクス経済学はやめてしまった。だから、共産党かどうかよくわからない。

こうして、市場経済は、マルクス経済学の挑戦をはねのけ、勝利したのですね。

このように、ひとつの議論が社会をつくりだすこともあれば、その議論が覆されて、社会が崩壊することもある。社会は、過去の人びとの「議論の結果」として出来上がっていることがわかります。

だから、もしもこの社会に不満があるのなら、この社会は、どういう議論の結果つくられたものなのかを知る。これが重要です。

その先にみえてくるのが、正解のない世界。「答えのない問題」です。

常識を疑うことからはじめよう

教科書に書いてあることも、文系（人文学や社会科学）の書物（やその解説書）に書いてあることも、過去の議論の「足跡」です。まず、これを学ぶことが大事なんだけれど、過去の「正解」がどんなものか、頭に入れるだけでは不十分だ。

なぜならそこに書かれているのは、自分より前に生きていた人びとの「一致した意見」なだけであって、今の社会に合うのかどうか、わからないから。

すると、教科書は正しいのか？　過去の議論は正しいのか？　という視点が生まれるでしょう。

そういうふうに頭が回ると、いちいち余計なことを考えてしまうから、テストでいい点が取れないかもしれない。でも、要領よく正解にたどりついて満足するひとより、面白いことを思いつく可能性がある。答えのない問題に、自分なりの答えをみつけ、世の中に発信していける。そんな力を秘めているんです。

アインシュタインだってエジソンだって、学校の成績は下から数えたほうが早かった。学校の枠からはみ出して、いつも余計なことを考えていた。だから、世界を変えるような理論や発明を生み出せたのですね。

学校の勉強がよくできるタイプの人は、「答えのある問題」の正解をすばやくみつけることに慣れすぎているのかもしれない。学校ではほめられる。でもそういう能力は、「答えのない問題」でいっぱいの実社会では、じつはあまり役に立ちません。上司からふられた仕事を要領よく終わらせることはできるかもしれない。でも、斬新なアイデアを出すことは難しい。

そもそも世の中には、「答えのない問題」のほうが、ずっと多い。およそ問題は、答えがない、と覚悟しなければいけない。

ましていまは「不確実性」の時代です。コロナでも、米中衝突でも、まさかと思うようなことがつぎつぎ起こります。これからもっと起こるでしょう。だからこそ、過去に「正解」とされてきたことはそれとして、正解のない世界にチャレンジする。これからはますます、そういう挑戦が大事になってくるはずです。

他人の頭で生きることはできない

頭のよしあしなんて、存在しない

人間は自然の産物です。

自然の産物であるうえに、一人ひとり違っています。

スイカ畑のスイカは、よくみると、一つひとつ大きさも甘さも違いますね。それと同じで、頭に脳みそが詰まっているという点は同じでも、そのはたらきは千差万別だ。

人間の頭をスイカにたとえるなんて失礼だ、と言われそうだ。でも、自然の産物はそれぞれ微妙に個性的で、一つとして同じものがないことを言いたいのです。

そうなると、生来の頭の出来不出来が気になるかもしれない。

そんなことは、気にしないのが正しい。

どうしてか。生まれつきなのか、練習してそうなったのかわからないけど、藤井聡太二冠みたいに、将棋がうんとできるひとと、できないひとがいる。うらやましくても、ちょっとやそっと練習しても、藤井二冠みたいにはなれません。ほかの分野も、そうかもしれない。よくわからないけれど。

そんなことより重要なことは、自分の頭を、ひとの頭と取り替えることはできない、ということです。これは確かだ。

人間は、生まれ持った自分の頭で、一生、生きていかなくちゃならない。そのことをどう受け止めたらいいだろう？

私はこう考えています。

生まれ持った自分の頭が、よいとか悪いとか、文句を言っても仕方がない。勉強すれば知識はつくかもしれない。でも、別な誰かの頭になることはできない。アインシュタインみたいな頭になったり、藤井聡太二冠みたいな頭になったりしない。そのことを、不満に思っても始まらない。

ただ、気をつけたいのは、ヘンなふうに考えるくせがつかないようにすること。せっかくひとつしかない頭の、性能が悪くなってしまう。

じゃあ、「ヘンなふう」とはどういうことか。

ヘンな考え方のくせはつく

たとえば「このドリンクを毎日飲むとスリムになれる」とか、「このクリームを塗ると色白になれる」とかいった宣伝文句を真に受けてしまうひとがいる。

そういうひとは、そんなことありえない、と考えられるだけの歯止めが欠けている。だから、そうかと思ってしまう。

それに加えて、世間の「美の基準」にふり回されている。

別に世間のみんなから「スリムですね」「色白だね」と言われなくたって、いいじゃないですか。たったひとりでも「素敵だね」と言ってくれるひとがいれば十分でしょう。とくにそのひとが、自分の大事なひとなら。もっと言えば、自分で自分のあり方に満足していればいい。

つまりは、世間の基準がどうあろうと、自分は自分だと思えばよいのです。自信です。開き直りと言ってもよい。そうすると、不思議なもので、そのひとだけの魅力が浮かび上がって来る。

ひとはそれぞれ違います。世間の基準は知ってはいますが、それはそれとして、私は私で生きていきますのでよろしく。そう割り切って、考えることができるかどうか。

これができないと、「もっとスリムにならなければ」「もっと色白にならなければ」などという、あらずもがなの問題設定をしてしまうわけです。

そこに、生物や化学の知識不足があいまって、「このドリンクを飲んでスリムになる」「このクリームを塗って色白になる」と信じこむひとになってしまう。

私の言う「ヘンなことを考えるクセ」とはこういうことです。

世間の人びとが考える通りに、ものを考えるだけでは、自分の人生は切り開けないのです。

正解があるかどうか以前に、問題設定そのものが変てこである。そうすると、本当に考えるべき問題に思考が向かわなくなってしまうのですね。せっかく自分の頭があるのに、これは大きな損失ではないだろうか。

自分が考えるべき問題を選ぶ

すると、こんな疑問が浮かぶかもしれない。じゃあ、ふさわしい問題設定とは、何だろう。

ふさわしい問題設定。それは、「自分ではどうしようもないことは考えない」ところから始まります。

たとえば、幼いころに母親が亡くなったひとがいたとする。子どもにはつらい体験かもしれない。口では言えない打撃です。

でも、本当に大事なのは、この状況を乗り越えて、父親をはじめ周りの人びとと、どう生きていくかでしょう。

シングルファザーとなった父親がどれだけ自分のことを考え、一人二役を務めようとがんばってくれて、実際にどんなことをしてくれているのか。もう起こった出来事は、取り返しがつきません。「母親が一緒にいてくれたら」と、自分に責任のないことをくよくよ考えても仕方がない。

やがては自分も大人になり、社会に出る日が来る。

そして誰かと出会い、一緒になって家庭を築くことになるかもしれない。

こうして、人生の局面ごとに自分で考えて判断し、どうにかしなくてはいけない問題にぶち当たる。そんなときに「どうせ自分は母親を亡くしたんだし」などと後ろ向きに考えても、仕方ありませんね。自分ではどうしようもないことは、言ってもしょうがない。

誰でも、自分の欠落や痛みが、とりわけ苦しいと感じます。でもそれを言えば、誰にだってひとに言えない、悲しみや悩みがあります。それを言い訳にしてはいけない。冷たい言い方に聞こえるかもしれないが、そう思い切らなければならない。

実際に社会を生きていくと、「自分ではどうしようもないこと」は、たくさんある。社会の仕組みも、職場のルールも、不公平や不平等も、人間関係も、…。

そういう経験をするたび、怒りや悲しみ、嫉妬のような感情に襲われるのが人間です。感情の引力は強いから、そちらにひきずられがちになります。

感情は、人間の自然な反応なので、感じるなと言っても無理です。怒りや悲しみなどの感情をバネにして、奮起するケースもある。感情の整理がつかず、ただウジウジするケースもある。「あの人はいいな、それにひきかえ、自分は……」なんてことを、つい思ってしまいます。

本当に考えるべき問題に、立ち向かおうとすると、いちばん邪魔になるのが、自分の感情。そういうことが、よくあるのです。

感情があるのは、仕方がない。そこで感情と理性を切り分けて、理性が感情と、切り離されて動くようにする。それが、自分の頭を正しく使うコツです。逆に言えば、ネガティブな感情につきまとわれて、理性が働かないようなら、「もう、自分はバカだなあ」と思ってください。

感情をコントロールして、理解を働かせると、ふさわしい問題設定ができるようになります。「自分ではどうしようもないこと」にかかずらわっていられない。それよりも、自分が考えるべきことはなんだろう、と。

学校に騙されてはいけない

学校教育で考える力は身につかない？

さて、話をまた学校に戻します。

「答えのない問題」に、自分なりに答えを出す。

こういう思考力が求められているとすると、やはり日本の学校のあり方は問題だな。

まず、生徒たちを一カ所に閉じ込めておく。「時間割」というものがある。みんなが、おんなじ進度で、学んでいく。速すぎてもいけない。遅すぎてもいけない。そして、わかったかどうかのテスト。基礎的な問題ばかりでは差がつかないから、ひねった問題も混ざっている。こんなテストの対策を練るとしたら、ひたすら練習問題を解いて、素早く答えられるようにする。「答えのある問題」への、瞬発力を鍛えればいいことになります。

これが学校の、問題点なんです。

学校はサービス業である

学校では、限られた時間で、「答えのある問題」の正解を書きなさい、と教える。「答えのない問題」は、出てこない。

なぜ「答えのない問題」が出てこないかというと、「答えのない問題」は、教えるのが大変だからです。

実社会では「答えのない問題」のほうがはるかに多いのに、それを考えない。これ、学校側の都合なんです。

本当なら学校が、そこを反省して、変わってくれるのが一番です。でも、一度そうと決まったものは、なかなか変わらない。

じゃあ、どうする。学校に学校の都合があるけれど、自分には自分の都合があるぞ、と思うことです。

学校側の都合に巻き込まれないで、自分の都合で学校を利用する。

よく考えれば、学校は、先生が丁寧に教えてくれる場所です。サービス業なんです。ホテルや飲食店といっしょです。そして値段がまあ安い。いいことです。それなら、学校は利用のしがいがある。

親がこういう気持ちになることが大事です。すると、学校に通っているお子さんも、知らず知らずのうちに気が楽になって、テストの成績なんか気にせず、のびのび勉強し、のびのび遊ぶ。かえって、勉強に興味が出たりする。

学校も会社も「私の都合」で使えばいい

さて読者の皆さんは、とうの昔に学校を卒業して、働いているのかも。自分の学校時代をふり返ってみましょう。テストの点数に一喜一憂していたのなら、ちょっと反省したほうがいい。

学校時代を反省すると、いまの自分にも変化が起こるんじゃないかと思います。いいですか。学校は、自分の都合で利用するものだと考えるのが正しい。そう考えてみる。するとどうだろう。学校がそうなら、会社もそうじゃないですか。会社も自分の都合で利用しよう。おんなじことなんです。

会社には会社の都合がある。でも、自分には自分の都合がある。そう考えつつ、知識やスキルを身につけたりしながら、「答えのない問題」に挑戦する。会社にいながら、ずっとクリエイティブになれるでしょう?

学校の勉強は、どう役に立つのか

人生の選択肢を広げる「国語」

さて、学校を批判してしまいましたが、学校の勉強はとても重要です。

学校で学んだことは、社会に出てから役立つ。それを、親のためとか、学校でいい成績をとるためとか、そんなふうにしか捉えられないなら、残念です。勉強の本質をわかっていないいな。

学校の勉強は、ひとことで言えば、「近代社会を生きていくための基礎」です。小学校の科目（国語、算数、理科、社会科）がわかりやすいので、順に考えてみましょう。

まず国語。国語を学ばないと、読み書きができない。読み書きができなければ、本を読むことができない。

本は「自分が知らない」ことを知るための最良のツールです。

身近に教えてくれる人がいなくても、本は、時間も空間も飛び越えて知りたいことを教えてくれる。それを読めないとなると、身近な人が教えてくれることしか知ることができません。

たとえば、農家のひとが、急に商人になることになった。さてどうする。

ここで役立つのが本です。もしこの人が国語を習っていれば、農家の生まれでも、商売のやり方を本から学ぶことができる。

つまり国語は、本を読むことで、自分の人生の選択肢や自由の範囲を大きく広げるのに役立つものなんです。

これは、実用的な知識や技術をいろいろ学べる、というだけの話ではありません。文学だって学術書だって、やっぱり人生の選択肢や自由の範囲を広げてくれるのです。文学を読めば、人の心の機微がわかる。人生経験がそんなになくても、恋愛や家族関係、友人関係の妙味に触れることができる。人生の複雑さ、奥深さも味わえる。それが、現実を生きるうえで役立ちます。文学に触れている人ほど、周囲の人間とよりよい関係を築いたり、どういう人ならば自分の生涯のパートナーとなりうるかを見極めたりするのもやりやすいはずだ。相手のことをちゃんと思って、適切な言葉を選んで交流することもできる。

じゃあ学術書はどうか？

学術書は、この世界を正確に捉えるために、過去の世代の人びとが考えて考えて、考えぬいた末にたどり着いた結論をまとめたものです。それをまとめた学術書を読むのは、現実社会を生き抜く知恵を身につけるということなんです。

日本に生きているみなさんは、読み書きはできて当たり前と思うかもしれない。

でも、そんな当たり前の国語能力を身につけていなければ、今挙げてきたようなことは、どれもできなくなってしまう。どうだろう。国語を身につけているのは、けっこうすごいことだと思いませんか？

合理的思考のもと「算数」

算数も、もちろん実社会を生きる上で必要不可欠です。

算数とは、数学のことです。

数学では「意見の相違」が起こりません。答えが決まっています。正しいか間違っているか、どちらかです。

このように、数学とは合理的なものです。数学がどういうものかを理解すると、合理的にものごとを考える基礎になります。

たとえばビジネスは、算数がわかっていないとできません。利益率といった数字を理解していなかったら、まったく話になりませんね。

それに計算ができなかったら、家計簿もつけられない。「4人分」で書かれたレシピで「3人分」の料理を作るには、どうすればいいかもわからない。家庭生活にも算数はついて回るわけだ。

モノの性質を把握する「理科」

理科は、モノの性質に関する学問です。

自然界のモノには、人間が手出しできない性質がある。自分の気持とは無関係に、水は100度で沸騰するし、0度で凍る。およそ世界で正しく行動するには、世界の性質を知っていなくちゃいけない。

理科の基礎知識がなければ、「車はガソリンが燃えエンジンを回して動く」ということがわからない。ガソリンスタンドがなぜ火気厳禁なのかもわからない。運転免許がとれません。

もっと話を広げると、地球温暖化がなぜ問題かわからない。原子力発電のメリットとデメリットがわからない。どうして世界中の国々が協力してCO_2の削減に取り組んでいるのかも理解できない。ＳＤＧｓ（持続可能な開発目標）がなぜ大事かもわかりません。

こんなふうに例を挙げてみると、算数や理科の知識が不足しているのは、かなり危ないな。基礎知識がないと、生活や命に関わる大問題になりかねない。

権利の使い方を知る「社会」

つぎは、社会科。

社会科は、社会の仕組みを学びます。政府とはどんな役目を果たすのか、法律とはなにか、みたいなことを学ぶ。こういう知識がないと、人として当たり前の社会生活を送れない。また、自分が暮らす社会がどうあるべきか、自分なりに考えて、答えを出すこともできません。

たとえば、せっかく参政権があっても、選挙の意味がわからなければ、投票に行けません。政府がなにかの加減で、憲法を無視し、人びとを横暴に扱うようになっても、どうやってストップをかけたらいいのかもわからない。

ときどき、投票に行かないひとがいます。自分ひとりぐらい行かなくても、どうせ結果は同じだから、って。それは、「誰がどんなふうに統治しても私は従います」と言っているのと同じです。これはたいへんおそろしい。

政府が正しく機能するためには、私たち一般の人びと一人ひとりが、社会について知識をもって、よく見張っていなくちゃならない。その基礎となるのが、社会科の知識なんです。

学校の勉強が役立つ瞬間

学校の勉強はこのように、実社会を生きる基礎となる。人間として生きる、基本になる。もしお子さんが、なんで勉強しなくちゃいけないの、と聞いたら、こんなふうに教えてあげましょう。

でも、それだけではありません。にっちもさっちもいかない問題にぶち当たったとき、学校の勉強はまた別の真価を発揮します。学校の勉強は、「答えのある問題」を考えるものでした。それが、じつは「答えのない問題」を考えるのにも役立つのです。

それは、「答えのない問題」のなかにはたいてい、「答えのある小さな問題」がたくさん含まれているからです。

たとえばパン屋さんを始めたいとする。

「ふつうのパン」ではなく「みんなに喜ばれてよく売れるパン」を作りたい。それには、自分なりの工夫が必要だ。パンの作り方を工夫する。売り方も工夫する。これには決まった答えがない。

ただし工夫をするには、まず「ふつうのパン」を焼く知識がなきゃいけないし、原価計算などの数学もわかっていなきゃいけない。それには理科や算数の知識が必要だ。

学校の勉強をしっかりやっていれば、ひとまずこういう「答えのある小さな問題」は解決できる。だから、本当に考えなくてはいけない、「答えがない部分」に集中できるんです。

それは「独特な粉の配合」かもしれないし、「ほかではやっていない温度設定」かもしれない。「店の立地」かもしれないし、「宣伝方法」かもしれない。こういう、考える人によって違う答えが出るところに、自分なりの考えをもって答えを出すことができる。

学校で勉強したことは隙間だらけで、それだけでは現実を生き抜くことはできない。そう実感した瞬間に、学校の勉強が本当に生きている。

矛盾した言い方のようだけど、学校の勉強では歯が立たない問題に直面したときに、じつは学校の勉強はいちばん役立っていると言えるのです。

有事に頼りになるのは、教養だけ

「今まで人間が考えてきたことのすべて」＝教養

余計なことはさておいて、本当に考えるべき問題にフォーカスしよう。じゃあその問題を、どう解決しようか。

そこで生きてくるのが、教養です。

教養。教養とは何か。

ずばり言いましょう。教養とは、「これまで人間が考えてきたことのすべて」です。

今まさに、ある命題を、誰かが考えているとき、それを「教養」とは呼ばない。いつか将来、新しい命題について、誰かが考えているときも、それを「教養」とは呼ばない。

過去、誰かがある命題を考えた。その大事な結論が、今に伝わっている。それを知っていることを、「教養」というのです。

有史以来、人間はさまざまな問題に直面してきた。そこで、いろんな人びとがいろんなことを考えた。なかでも「まあまあ筋がよい」とされたものだけが、今に受け継がれてきている。

そのすべてが「教養」。これが、大人になって「答えのない問題」に直面したとき、もっとも役に立つのです。

ところが、そんなに重要なのに、教養は学校では身につけることができません。

学校で教わることは、文字の読み書き（国語）、数字の計算（算数）、モノの性質（理科）、そして世の中の仕組み（社会科）です。中学、高校に進むと、内容は高度になります。でもそこで身につくのは「教養」ではなく、あくまでも基礎的な「知識」です。

というわけで、教養は誰かに「教わる」のではなく、自分で「獲得」しなくてはいけない。教養をどこまで獲得したかによって、問題の解決能力が左右されることになる。

つまり教養の有無が、人生の質を決めかねないということ。聞き捨てなりませんね。

「ルーティン以外の問題」を解く道しるべ

たとえば、多くのひとは会社勤めをしている。

会社では日々、さまざまなことが行なわれている。ルーティンワークも多い。けれど問題は、ルーティン（決まったパターン）でない仕事をどうするか。

どうしたら売り上げが伸びるか、取引先とうまく付き合えるか、競合他社に勝てるか、社内のマネジメントがうまくいくか、…などなど、ルーティンに収まらない問題に、日々直面しているはずです。

こうした問題には絶対的な正解がない。正解がないから、学校で教わったことだけでは解決できない。まさに教養の出番ですね。

さて、ここでひとつ問題が生じる。

それは、教養には、明確な「因果関係」が存在しないということです。

教養とは、決まった目的があって、身につけるものではない、と言ってもいい。

たとえば、パワーポイントで資料を作成する技術を身につけたいなら、そのことが書いてある本を読めばいい。「パワーポイントで資料を作れるようになる」という目的で、そのやり方が書いてある本を読む。やり方がわかるので（因）、できるようになる（果）。因果関係が明確ですね。

ところが教養には、こうした明確な目的（因果関係）がない。売り上げを伸ばすのに役立つ教養、取引先とうまく付き合うのに役立つ教養、競合他社に勝つのに役立つ教養、社内のマネジメントをうまくするのに役立つ教養、なんてものは存在しないんです。

いや、本当は存在するんだけど、パワーポイントの実用書ほど、身につけたら（因）、できる（果）、という因果関係が明確でないのです。問題が解決したら、何と何が役に立った、と因果関係がはっきりする。でもそれは、あとからわかるので、問題が解決するまでは、何が役に立つかわからない。暗中模索です。

じゃあ、どうしたらいい？

明確な目的意識など持たずに、広く教養に触れるしかありません。

教養という森は広大です。何しろ教養とは「今まで人間が考えてきたことのすべて」なんですから。

したがって、何か問題が起こってからあわてて教養を身につけようとしても手遅れ。いつ役に立つのかわからないものを、いつか役立つ日のために、日頃から少しずつ蓄積していくのです。

ここでひとつ、例をあげましょう。

江戸の中期、元禄時代に、大石内蔵助という人がいた。

大石は赤穂藩という藩の家老だったんだけど、あだ名は「昼行灯」。行灯は夜に灯すものなので、昼間に灯してもしょうがない。いつもぼんやり目立たず、何のためにいるのかわからないような人物、という評判だった。不名誉なあだ名で呼ばれていたのです。

そこに事件が起こる。

藩主・浅野内匠頭が江戸城内で刀を抜き、上役の吉良上野介に斬りつける、という刃傷沙汰を起こした。この件で藩主は切腹。さらには、お家取り潰しとなってしまった。

これは、会社の経営者が急に更迭されて、倒産するようなもので、解雇される藩士（社員）たちにとっても一大事です。

しかも、その刃傷沙汰の相手である吉良にはいっさいお咎めなしだった。

浅野が一方的に吉良を斬りつけたのは、もちろん悪い。しかし、江戸城内で刀を抜くなどという暴挙に出たのには、それ相応の理由があったはず。「喧嘩両成敗」の考え方にも反するということで、大石以下赤穂藩士の人びとは、憤慨した。

ここから大石内蔵助の活躍が始まる。

「藩主の恨み、晴らさでおくべきか」と憤る藩士らをまとめあげ、自分を先頭に、四七人で吉良上野介の屋敷に討ち入り、その首を討ち取ってしまう。その後、幕府の処分で、全員が切腹を命じられた。

この事件は大評判になり、歌舞伎でも上演された。「忠臣蔵」といえば、お正月の映画やスペシャルドラマの定番でした。

冷静に見れば、物騒な「暗殺事件」と言えなくもないのですが、ここで言いたいのは、大石内蔵助のリーダーシップです。

もしも、藩主の切腹、お家取り潰しという事件が起こらなかったら、きっと大石は目立たない「昼行灯」のまま、人生を終えていただろう。それが、お家の一大事となったとたん、リーダーとしての抜群の能力を発揮した。周囲のひとにはみえなかった潜在的な能力が、緊急事態で、一気に開花したのです。

江戸時代は天下泰平、平和な時代でした。武器をとって戦うのが本業のはずの武士が、事務方に回り、のんびりサラリーマンのような生活を送っていた。

これは私の推測だけれども、きっと大石はのんびり日常の業務をこなしながらも、いったん事あれば自分がリーダーとしてどう行動するかの、イメージトレーニング（覚悟）があったのではないか。

この大石内蔵助の例は、教養というものの性質を表していると思うのです。

赤穂には、山鹿素行という優れた学者がいて、儒学を講義していた。大石や藩士たちはそれを受講していた。素行の学問は政治や戦争や、緊急事態の場面でどう行動すべきかのべている。それが彼らの教養の基礎だったと思われる。

「答えのない問題」にぶち当たるのは、いわば「有事」。そのときのために、教養という問題解決能力を、日頃から培っておきたいものです。

「教養ある人」だけが得られること

「思い込み」から自由になる

この世に、「バイアス」がゼロという人はいません。

どんなに公正で中立的な人でも、何かしら偏った見方をするものです。「わかったつもり」というのも一種のバイアスだし、「リベラル」「保守」だってバイアスだ。「客観的事実」を報道するのが仕事の新聞だって、実際のところ、バイアスから自由ではありません。

たとえば朝日新聞。良心的な紙面づくりで、信頼をえている全国紙です。

その朝日新聞が、戦前は、戦争行け行けドンドンの新聞だった。戦争の旗振り役だった。今からは想像もつきませんけれど。

まあ、朝日だけでなく、当時の新聞はおしなべてそうだった。

戦後、朝日新聞は、これを深く反省した。そこで、つとめて良心的な新聞になったのです。何かにつけ政府に噛み付くのは、それはそれでバイアスではある。

これは責められるべきものではない。各紙に「編集方針」があるでしょう。朝日には朝日の、読売には読売の編集方針。それだってバイアスです。

そこで当然、何が紙面に書かれているかにはずいぶんと違いが出てくる。

つまり、新聞に書かれているものは「事実」ではあるが、それをどう報じるか、どう評価するかには、各社それぞれの考え（バイアス）がある。そう思って新聞に接するのが正しい姿勢です。

これが書籍となればなおさらです。

本は基本的に、一人の著者が書いている。ということは、その本は、その著者のバイアスに従って書かれていると思って読むのが正しい。個性的な本に、どんなバイアスがあるかを発見することが、読書の醍醐味のひとつと言ってもいいでしょう。

いろんな本を読むごとに、いろんなバイアスを知っていく。こんなバイアス、あんなバイアス、…。完全にバイアスフリーになることはできないけれども、いろんなバイアスを知れば知るほど、いろんなものの見方ができるようになって、そこから自分なりの考え方がかたちづくられる。

読書はそのためにある、と言ってもいいぐらいです。

おしゃれと教養は似ている

女性のファッションは、毎年流行が移り変わりますね。

今年の流行色はブルーだとか、ゆったりめのシルエットがトレンドだとか、ファッション誌はそういう話題をどっさり載せています。

そこで、流行のものばかりを身につけるか、自分なりのスタイルにちょっと流行を取り入れるか、どちらのほうがファッション上級者かと言ったら、後者ですね。

自分の好みや自分に似合うものがわかっている人は、流行と自分との間に適度な距離感がある。流行をわかったうえで、流行にふり回されない軸がある。

教養もこれに似ていて、いろんな本を読んでいる人は、著者のバイアスと自分との間に適度な距離感を保ちながら、本を読むことができる。いちいち著者のバイアスにふり回されず「これはいいな」と思った考え方を、自分の考え方に取り入れることができる。

ファッションと同様、言論にも流行り廃りがあります。

流行の理論にまったく触れずに、自分の頭だけで考えるのは難しい。かと言って、流行の議論をたくさん頭に詰め込んだところで、それが何？　ということになる。

そこで、自分が本当に大事だと思うことや、考えたいことを考えて「私はこういう考えですが、それがあなたの考え方と違っても当然だし、それでいいんじゃないですか」という頭の使い方ができるかどうか。

これが本当の教養深さと言ってもいいかもしれない。

自分のスタイルに流行を取り入れることがファッション上級者であるように、いろんな本を読むことで教養上級者になれるわけです。

その出発点として、自分が触れる情報にはすべて「バイアス」が含まれている、という前提を意識することが重要です。この本はどういうバイアスに基づいて書かれているのだろうか？　読者はこの姿勢を忘れてはいけません。

第2章

人生がたのしくなる教養の身につけ方

大人の教養、ことはじめ

「情報収集」しても、教養は身につかない

学校では「答えのある問題」ばかり出てきますが、社会に出ると「答えのない問題」のほうが多い。

そこで役に立つのが教養です。

でもやっかいなのは、教養は「この問題に対処しよう」と思って身につけるものじゃないことです。いつぶつかるかわからない「答えのない問題」に立ち向かうには、目的なしに、いつ役に立つかわからない教養を少しずつ身につけておくしかない。

ここまではいいですか。

さて前章で、教養は、「教わる」ものでなく、自分から手を伸ばして「獲得」するものだ、とものべました。学校みたいにカリキュラムがあって、誰かが教えてくれるわけでは

ない。自分から、学んでいく姿勢が、大人には必要なんです。

じゃあ、大人の学びとはどういうものか。

以下、教養を身につけることを、大人の「学び」と呼びましょう。教養を身につける大人の「学び」は、どうすればできるのか。

最初に、教養ではないもののほうを、確認しておきます。

まず、「知りたいことを調べる」のは、教養とは違います。

「調べる」とは、知らないので、外部資料に当たることです。

自分から手を伸ばして獲得してはいるけれど、目的がはっきりしている。たとえば「日本の経済動向を探るのに、過去五年間の日本のＧＤＰを知りたい」というように。

そして情報は、調べたらそのことの役に立ちますが、読み捨ててしまう。情報は、必要に応じて「参照」するものだからです。それを頭にしまっておかなくても、また資料をみればよい。

　このように、情報は流れていきます。でも、教養は頭にしまっておくもの。そこで、知りたいことを調べるのは、教養とはいわないんです。

「技術の習得」も、教養じゃない

じゃあ、何かを習って、「できないことができるようになる」のはどうだろう。

これも、教養とはいいません。「できないことができるようになる」のは、技術の習得です。

たとえば会社に入ったら、エクセルにデータを入力して表計算をして、それをグラフにしなさいと言われた。そこで『すぐできる　エクセル活用術』みたいな本を読んで、言われたことができるようになった。

これを、教養とはいわない。

さっきの情報は読み捨てだったけど、今回は、習った内容が頭に入っている。だけど、ここで身につくのは技術であって、教養ではないんです。

料理を習って、ハンバーグがつくれるようになった、とかも同じです。

情報を手に入れるのも、技術を身につけるのも、重要なスキルに違いありません。

昔は、情報を集めるのに、とても手間がかかった。どこに自分の求める情報があるかわからない。足を使って探さなくちゃならなかった。集め方にうまい下手があって、えられる「情報の差」になった。

情報社会になって、情報を集めるのが簡単になった。家から出なくても、ネット検索でビッグデータにアクセスし、欲しい情報が手に入る。

ネットのデータは、誰にでも公開されているのが特徴です。でもデータがありすぎて、どこに絞ればいいのか、わからない。そこで、「検索能力の差」みたいなものが生まれてくる。情報時代のスキルです。そういうスキルの習得も大事です。

このように、情報集めや技術の習得では、必要なスキルがある。でも、情報は情報、技術は技術で、教養ではない。「学ぶ」ことではないんです。

「学び」は、生産につながる

ここまで読んで、混乱してしまった人はいませんか。

え？　じゃあ、「学ぶ」って、何をどうやって学ぶんだろう。

情報にアクセスしたり技術を身につけたりするのと、「学ぶ」ことには、決定的な違いがあります。

情報は、誰かが先に調べて記録してあったのを、使わせてもらうこと。技術は、誰かが先にできるようになっていたのを、教えてもらうこと。どちらも、「消費」なのです。

いっぽう、「学ぶ」ことは、これから「生産」するんです。なにを生産するのか。「答えのない問題」にぶつかったときに、それなりのやり方をみつけ出す。自分の人生は、「答えのない問題」の最たるものです。それに立ち向かって、自分なりの生き方をみつけだす。これも「生産」ではないだろうか。

と言っても、ゼロから生産するのではない。

教養は、これまで「人間が考えてきたことのすべて」でした。それを身につける。教養を身につけるのに、明確な目的はない。これは消費の段階。誰かのものだった教養を、ちょっとおすそ分けしてもらっているだけだからです。

けれども、そうやって身につけておいたことが、ひょんなことで役立つ場合がある。自分の行動や生き方に、反映される場合がある。それこそ、過去のおおぜいの他者の考えを踏まえて、自分がひと味ちがったふるまいができる。自分が「生産」をする瞬間です。

そう考えてみると、教養のあれやこれやは、「学ぶ」ことの「部品」と言ってもいいかもしれない。いつ、どう役立つかわからない部品を集めておく。「これまで人間が考えてきたことのすべて」を吸収するのは無理ですから、まあ、そこからつまみ喰いをする。そして、なにか「答えのない問題」にぶつかったら、手元の部品をいろいろ組み合わせてみる。手元の部品だけでは、これという答えに行き着かない。そこで、「自分のアイデア」という最後のピースをはめて、全体を完成させる。このように、自分なりの解決にたどり着くプロセスの全体が、「学ぶ」ことなわけです。

教養は、海のようで、限りがない。

なにせ「これまで人間が考えてきたことのすべて」です。思想、哲学もあれば、文学、音楽、絵画もある。きりがない。

教養は、それ自体が目的になってもよいのです。「こんなに興味深い思想がある」「こんなに素晴らしい文学がある」というように、ただそれに親しみ、それを楽しむということがあってもいいのです。絵の才能はなくて、一生絵は描かないだろうが、観て楽しむだけでもいい。生産につながらないようにみえる教養も、あって当然なんです。

とは言え、「学ぶ」とは、教養に親しみ、楽しみつつも、どこかで「生産」につながる可能性のある活動である。だって、生き方が変わるかもしれないのだから。そんなふうに意識しておいて、損はありません。そうでないと、誰かが考えてきたことをなぞるだけ、みたいな雰囲気になって、自分の気概と誇りがやせ細ってしまいます。

なぜ、「学ぶ」のが苦手か

競争試験が諸悪の根源

さて、みなさんのなかには、「学ぶ」のは苦手だなあ、勉強って嫌だなあ、と思うひともいるかもしれない。大人には、とくに多いかもしれない。

これって、変です。人間はもともと、好奇心というものがあって、新しいことを「学ぶ」のは楽しいはずなのに。

「学ぶ」のは苦手です、勉強は嫌です、と思っているひとがいたら、それは、学校の試験のせいだ。学校で試験をやりすぎて、勉強が嫌いになってしまった。

これは、学校に罪がある。

学校には、試験があります。必ず。試験がなければ、ちゃんと勉強が身についたかどうかわからない。そのための試験はあってよい。

でも問題は、試験のやり方です。

試験には、「資格試験」「競争試験」の二種類あるんです。知ってました？「資格試験」は、必要な知識や技能が十分に身についたかどうかを測る。七〇点以上は合格、みたいな試験です。自動車の運転免許の試験などがそうですね。基準をクリヤーすれば、誰でも合格。一緒に試験を受ける隣りのひとと、競争しなくていい。

これに対して「競争試験」は、誰が一番で誰が二番で…みたいに、成績の順番をつける試験。上から何番目までが合格、みたいな入学試験はこれです。一緒に試験を受けるひとと、競争する関係になる。

私が思うに、学校の試験が、競争試験みたいになっているのがよくない。

学校は、教育をする場所で、生徒や学生の選抜をしなくてよい。教育がちゃんとできたか、調べるだけでいい。だから、「資格試験」が基本のはずです。だいたい高校は単位制で、単位を認定すればいいはずだ。

入学試験は、競争試験でいいのですよ。合格／不合格を決めるのだから。でも、学校のふだんの試験は、資格試験でなければならない。教えたことがわかったかどうかを、確認するのが目的なんだから。ちょっとくらい間違えてもいい、基本の知識が身についていればOK、というのが資格試験です。

そういう試験であるはずの学校のふだんの試験を、競争試験みたいに扱って、誰がクラスで何番、みたいに成績をつける。教師は、入学試験の予行演習みたいで、サーヴィスのつもりなのかもしれないが、それは予備校の模擬試験の役目。教師が、教育と試験の本質をわかっていない。生徒はえらい迷惑だ。

こんな試験ばかり受けていると、どういうことになるか。二番よりも一番が偉く、七五点よりも八〇点が偉い、みたいな価値観が刷り込まれてしまう。そういう心理が親にも伝染して、親も成績や点数を気にするようになる。子どもはますますプレッシャーを感じ、いじけて、自信がなくなってしまうのです。

これが、学校の勉強が嫌いになるメカニズムです。場違いな競争試験こそ、「学ぶ」ことが苦手な、勉強嫌いの原因だと私は思います。

この、勉強＝嫌、な印象を、卒業したあともひきずって、勉強とか「学ぶ」とか聞くとアレルギー反応が出てしまうんですね。

「学校歴」には意味がない

でも、学校では依然として競争試験が続けられている。

なぜか。おそらく生徒を上の学校に進学させるのに、都合がいいからでしょう。学校の実績づくりです。いい学校を出て、いい会社に入って、という古めかしい考え方が、いまだに学校教育を覆っているんです。

学校だけではなくて、企業の側にも問題がある。日本の企業は、いまだに「学校歴」を重んじているふうがあるのです。

企業が、応募者一人ひとりの能力や知識や技能について、ちゃんと情報がもてれば、それにもとづいてふさわしいひとを採用するはずです。でも、そんな情報がない。そこで、どこの学校の出身かという「学校歴」を、かわりにするんですね。大雑把でいい加減なやり方だ。

英語の話せる人材が欲しいとする。TOEICの成績みたいな基準があって、それをもとに採用するのはまあ合理的です。でも、そんなものがなかった時代には、英文科の出身者を採用した。英文学が専門で、話すほうはまるでダメかもしれません。でもこれは、英語を学んだという「学歴」だから、まだいい。「学校歴」はもっと大雑把で、入学試験はパスしたのだから、入学したときの学力はこの程度だったろう、ということしかわからない。

それにもかかわらず、まだ学校歴を気にする企業があるのは、どういうわけだろう。

おそらく理由は簡単。志望者が多くて、まず学校歴でふるい落とさないと、採用が大変だからでしょう。採用に関わる会社側の怠慢ですね。本来ならば、相応のコストと手間をかけ、試験や丁寧な面談を行なって、適性などを見極めるべきです。

採用に手をかけるほど、いい人材が採用できて、企業にメリットがあるはずなんだけれど、その意欲をもたない企業が多いらしい。

学ぶ楽しみは、いくつになっても取り戻せる

そういうわけで、競争試験の害悪は根強く残っている。

でも、言っておきますが、競争そのものがいけないのではない。

世の中には、意味のある競争もたくさんある。

市場は、競争そのものです。同じ製品を作っているメーカーが競争することで、私たちはよりよい製品を手にすることができる。レストランとレストランは、競争することで、

よりよいサーヴィスを提供している。開業医だって、農家だって、どんなビジネスもみんな競争している。

これらはみんなあるべき競争です。競争によって、向上していくんです。

でも、学校で、ふだんの成績をつけるために競争試験をするのは、まったく無意味な競争なのです。それには害悪しかない。

中学、高校では、将来の基礎になることがらを、必要だから学んでいるんです。中高生ももうそれなりに大人ですから、それぐらいわかる。必要なことは、自分で勉強する。好きな科目は、好きなだけ勉強すればよい。

そういう純粋な気持ちを、試験は台無しにしてしまう。試験があるおかげで、試験のために勉強している、みたいな感じになるのですね。試験は嫌だ。だから勉強も嫌だ。でも仕方なく勉強する。卒業して試験がなくなった。じゃあ、勉強しない。勉強したくない。学ぶのは苦手だ。——こういう結果になるのですね。

試験のために勉強するなんて、まるで奴隷じゃないですか。勉強は勉強のためにする。学ぶことに価値があるから、学ぶ。ぜひ、この原点に戻りましょう。

「知る」とは、新しい世界に加わること

言葉に出会ったヘレン・ケラー

世の中には、本を読むのが苦手だという人がいるのだという。

そういう人は、本が読めないということが、どんなに大変なことなのか、実感してみたらいいかもしれません。言葉が、文字が、どれだけ人間の世界を拡げてくれるか、ということ。

ここで私が思い起こしたのはヘレン・ケラーです。

ヘレン・ケラーはアメリカ南部の生まれ。幼いころに病気で、目が視えず耳も聴こえなくなりました。わがままに育っていましたが、サリヴァン先生に指文字を教わり、言葉を獲得します。のちの回想によると、まわりの人びとはどうも交流しているらしい、なんでだろう、と思っていたといいます。

サリヴァン先生が、最初に教えたのは、waterという言葉でした。『奇跡の人』という映画の、有名なシーンです。すべてのものに名前があることを理解し、他者と交流できるようになります。

文字がわかれば勉強ができる。勉強ができれば、手に入れた知識をもとに考えたり、行動したりできる。ヘレン・ケラーは勉学を続け、ラドクリフ・カレッジ（いまはハーバード大学の一部）を卒業し、著述家、社会運動家として大きな活動をします。

ヘレン・ケラーのストーリーは、「学ぶ」ことの素晴らしさを伝えてくれていると思うんです。

それにひきかえ、目が視えて耳が聴こえる人びとの場合、それが当たり前のように思って、「学ぶ」ことの素晴らしさを実感しにくくなっているかもしれない。

文字が読めさえすれば、本が読める。一冊の本を開いた先には、未知なる世界が広がっている。文字が読めるということは、自分さえ望めば、どんな新しい世界にも飛び込めるという特権を手にしているということなんです。この特権を使わなければもったいない。そうは思いませんか？

教養は「イチローのヒット」である

教養とは、「いつ役立つのかわからない」のでした。

とすると、教養を身につけるのは、おっくうだったり、苦痛に思えたりするかもしれない。何しろ、これを身につけたら「この役に立つ」という、成果が見えないのだから。

成果が目に見えにくいと、意欲がわかないのは人情です。ダイエットだって「1ヶ月で2キロ減った」と、成果が感じられなければ、長続きしない。

では、成果が見えないまま教養を身につけるのは、やはり苦痛でしかないのか。

いや、そんなことはない。教養に触れることは、苦痛どころか、快楽なのです。

教養を身につけるのは、スポーツ観戦みたいなものだと思う。

スポーツを観戦します。べつに、何の目的があるわけじゃない。では、どうしてスポーツを観るのか？　好きだから。楽しいから。選手のファンだから。勇気づけられるから。気分転換になるから。要するに、「見たいから見る」ですね。

教養も、それと同じです。

好きだから。楽しいから。著者のファンだから。勇気づけられるから。気分転換になるから。だから、教養に触れるんです。

何の役に立つのか。その教養に触れている瞬間にはわからなくてもいい。触れたいから触れる。

たとえば、ある偉大な思想家が書いた本を読む。

あるいは、その本のよさそうな解説書か、入門書を読む。ちょっと難しそうでも、少しがんばって読んでみる。

すると、わあ、こんな考え方をした人がいたのか！　という新鮮な驚きを味わうかもしれない。

これは、イチローのクリーンヒットを見るのと同じくらいワクワクすることです。

現代にまで名が残っている著者たちはみな、イチロー並みのクリーンヒットを打っている。しかも、教養の世界には、イチロー並みの人びとが、数え切れないくらい存在するというのも素晴らしい。

教養とは「今まで人間が考えてきたことのすべて」なのだから、どんなに記憶力が抜群な人でも、教養を学び切ることはありません。教養に触れる楽しみが尽きることはない、ということです。

ヒットの次は、ホームランも見たくなる

このように、すぐ目に見える成果が現れなくても、教養を身につけることは、ちっとも苦痛じゃありません。

素晴らしいヒットを目の当たりにしたら、「ホームランも見たい」「巧妙な送りバントも見たい」と、見たいものがどんどん出てくる。こうして野球の虜（とりこ）になる。教養を学ぶのでも、これと同じことが起こるんです。

教養の楽しみがわかると、教養に触れること自体が、目的になっていくでしょう。するともっと楽しくなって、もっとたくさんの教養に触れるようになる。どんどん吸収していく。

そして、さらに重要なこと。

教養は、触れているその瞬間にはいつ何の役に立つのかわからない。でも、いつか、何かの問題に直面したときに、必ず役立つのです。楽しんで教養に触れたついでに、問題の解決にもなるのだから、こんなにいいことはない。

大人として最低限、身につけておきたい教養

大人の「教養」チェックリスト

教養に触れるのはとても楽しいこと。「何々のために」という目的がないのだから、自分の興味のおもむくまま、教養の幅を広げていけばいいのです。

それにしても、最低限押さえておきたい基礎的な教養というのはある。

たとえば、民主主義のもっとも重要な特徴は何か、といったこと。学校でその入り口は教わっているのだが、学校の教育はまあ「子ども向け」だ。大人になったら、大人仕様にアップグレードさせたほうがいいのです。

そこで以下、〈大人の「教養」チェックリスト〉、をつくってみました。まず質問をみて、ちょっと考えてみて。そのあと、答え合わせのページをごらんください。

大人の「教養」チェックリスト☑

1. 政治

- a. □ 民主主義はどういう仕組みか
  - b. □ 自然法とはなにか
  - c. □ なぜ人権が大事なのか
  - d. □ 議会とはなにか
  - e. □ 選挙とはなにか
  - f. □ なぜ多数決でものごとを決めるのか
  - g. □ 法の支配とは何か
  - h. □ 裁判とはなにか
  - i. □ 宗教法と世俗法はどう違うか
  - j. □ 契約とはなにか
  - k. □ なぜ犯罪は罰せられるのか
  - l. □ 裁判所とはなにか
- m. □ 憲法とはなにか
  - n. □ 憲法を決めるのは誰か
  - o. □ 憲法と法律はどういう関係にあるか
  - p. □ 憲法と条約はどういう関係にあるか
  - q. □ 憲法と戦争はどういう関係にあるか
  - r. □ 憲法に違反するとどうなるか

2. 経済

- a. □ 市場とはなにか
  - b. □ 自由競争とはどういうことか
  - c. □ ミクロ経済学とマクロ経済学はどこが違うか
  - d. □ 消費、貯蓄、投資は、それぞれなにか
  - e. □ 貨幣とはなにか
  - f. □ 市場均衡は、どうやって決まるか

g. □ 市場と政府はどういう関係にあるか
  h. □ 有効需要の原理とはなにか
  i. □ 財政政策、金融政策とはなにか
  j. □ 所得税と消費税はどう違うか
  k. □ 失業はなぜ起こるか
  l. □ インフレ、デフレとはなにか

3. 社会

a. □ 社会の秩序はどうやって保たれているか
  b. □ なぜ結婚という制度があるのか
  c. □ なぜ相続という制度があるのか
  d. □ なぜ少子化が進んでいるのか
  e. □ なぜ人間は自殺するのか
  f. □ なぜ義務教育があるのか
  g. □ 機会の平等と結果の平等はどう違うか
  h. □ なぜ地方自治体があるのか
  i. □ なぜ社会は変化していくのか
  j. □ なぜ医療保険に加入しないといけないか
  k. □ なぜ年金に加入しないといけないか

4. 歴史

つぎのことがらを説明してください

a. □ 律令制
b. □ 鎌倉幕府
c. □ 大政奉還
d. □ 満洲事変
e. □ シーザーの暗殺

f. □ 十字軍
g. □ 宗教改革
h. □ アメリカ独立戦争
i. □ フランス革命
j. □ 第一次世界大戦

5. 文学

つぎの作家／作品を読みましたか

a. □ 万葉集
b. □ 百人一首
c. □ 夏目漱石
d. □ 太宰治
e. □ 三島由紀夫
f. □ 村上春樹
g. □ ドストエフスキー
h. □ カフカ
i. □ エドガー・アラン・ポー
j. □ スタンダール
k. □ 魯迅

大人の「教養」チェックリスト［回答例］

1. 政治

a. □ 民主主義はどういう仕組みか
人びとが討論し、ルールにもとづいて、ものごとを決める仕組みです。

b. □ 自然法とはなにか
もとはキリスト教の考え方で、文字に書いてなくても人類の守るべき法律が決めてあり、理性で発見できると考えます。

c. □ なぜ人権が大事なのか
自然法が与えた権利（基本的人権）を、政府が無視する場合があるからです。

d. □ 議会とはなにか
中世、貴族が集まって、裁判をしたり予算を決めたりして、王を監視しました。現代は、国民の代表が集まり、予算や法律を決めて、政府を監視します。

e. □ 選挙とはなにか
めいめいがよいと思う人物や議案を紙に書いて集計し、意思決定することです。

f. □ なぜ多数決でものごとを決めるのか
多数決は、少数に従うよりよく、全員一致で決めるより効率的だからです。

g. □ 法の支配とは何か
政府など権力をもつものも、法に従うやり方のことです。

h. □ 裁判とはなにか
人びとのあいだの争いを、資格をもった誰か（裁判所）が解決することです。

i. □ 宗教法と世俗法はどう違うか
宗教で決まっているのが宗教法、それ以外が世俗法です。

j. □ 契約とはなにか

双方が義務と権利を定めて、約束することです。

k. □ なぜ犯罪は罰せられるのか

犯罪は法（刑法）に違反して、公共の利益を害するからです。

l. □ 裁判所とはなにか

社会で生じた紛争を法にもとづいて裁定する、法律の専門家からなる国家機関。

m. □ 憲法とはなにか

国家をつくることやそのあり方を約束した、基本文書のことです。

n. □ 憲法を決めるのは誰か

主権者（国民だったり、国王だったり）が憲法を決めます。

o. □ 憲法と法律はどういう関係にあるか

憲法がある場合、法律は憲法に矛盾することができません。

p. □ 憲法と条約はどういう関係にあるか

憲法があって条約と矛盾しても、条約は効力をもつ場合があります。

q. □ 憲法と戦争はどういう関係にあるか

憲法には、戦争のやり方が決めてあるのが普通です。

r. □ 憲法に違反するとどうなるか

憲法に違反できるのは政府です。違反したかどうかを決めるのは裁判所です。憲法に違反した法律や政府の行動は、無効になります。

2. 経済

a. □ 市場とはなにか

不特定の人びとが集まって自由に財貨を交換する場所のこ

とです。

b. □ 自由競争とはどういうことか

誰にも制限されず、誰もが値段や条件を交渉できることです。

c. □ ミクロ経済学とマクロ経済学はどこが違うか

ミクロ経済学は個々の家計や企業の行動を、マクロ経済学は国単位で集計したマクロ変数のふるまいを、研究します。

d. □ 消費、貯蓄、投資は、それぞれなにか

消費は、家計が所得のうち商品の購入にあてる部分、貯蓄はその残り、投資は、企業が資本設備を増やすため商品の購入にあてる部分。

e. □ 貨幣とはなにか

交換を媒介し、価値を測り、支払いを行ない、価値を貯蔵する手段のこと。

f. □ 市場均衡は、どうやって決まるか

家計や企業が商品を売ったり買ったりする計画を立て、その需要と供給が等しくなるならば、市場均衡です。

g. □ 市場と政府はどういう関係にあるか

市場は政府の外にあり、税を集め、財政支出をし、市場の環境を整えます。

h. □ 有効需要の原理とはなにか

人びとが貨幣を支払って、実際に商品を購入することをいいます。

i. □ 財政政策、金融政策とはなにか

財政政策は、政府の財政支出で経済を調整する政策、金融政策は、金利によって経済を調整する政策です。

j. □ 所得税と消費税はどう違うか

所得税は所得に課する税で、おおむね累進的。消費税は商品の購入に課する税で、原則として一定税率である点が違います。

k. □ 失業はなぜ起こるか
景気が停滞するなどして、労働力に対する需要が不足することで起こります。

l. □ インフレ、デフレとはなにか
すべての商品の価格が一斉に上がるのがインフレ、下がるのがデフレです。

3. 社会

a. □ 社会の秩序はどうやって保たれているか
人びとが、進んで社会の秩序を守ることで保たれています。

b. □ なぜ結婚という制度があるのか
多くの人びとが家族を営み、子どもを育て、互いを助け合うためです。

c. □ なぜ相続という制度があるのか
死者の財産を、子孫に遺すほうが、死者も子孫も財産も、守られるからです。

d. □ なぜ少子化が進んでいるのか
乳児死亡率が下がったこと、教育費がかさむこと、保険や年金が整ったことなどの理由があります。

e. □ なぜ人間は自殺するのか
思い通りに生きられない人生に、価値がないと思うからです。

f. □ なぜ義務教育があるのか
学校教育を受ける権利を、親が奪うべきでないからです。

g. □ 機会の平等と結果の平等はどう違うか

本人の責任でない不平等をなるべくなくすのが機会の平等、本人の責任で生まれる不平等をなくすことが結果の平等です。

h. □ なぜ地方自治体があるのか

村や町や都市は国家より古くからあり、国家がそれを認めたからです。

i. □ なぜ社会は変化していくのか

科学技術や社会の制度について、よい考えを出すひとがいて、そのアイデアが広まっていくからです。

j. □ なぜ医療保険に加入しないといけないか

運悪く病気になったひとの医療費を、大勢で負担するのが合理的だからです。

k. □ なぜ年金に加入しないといけないか

自分だけで老後に備えるより、大勢で備えたほうが貯蓄が少額ですむからです。

4. 歴史

つぎのことがらを説明してください

a. □ 律令制

律は刑法、令は行政法。律令制は、中国の集権的な統治制度のこと。

b. □ 鎌倉幕府

源頼朝が一一九二年、鎌倉に開いた武家の政権。朝廷から右大将、征夷大将軍などに任命されて統治権をえる形式をとっていた。

c. □ 大政奉還

徳川幕府が朝廷に、統治権を返上したこと。一八六七年である。

d. □ 満洲事変

一九三一年、関東軍が謀略により、満洲の全域を軍事征圧した事件。

e. □ シーザーの暗殺

ローマの軍人で政治家ジュリアス・シーザーが、独裁者になる野心をもっているとして、ブルータスら元老院議員に殺害された事件。シーザーの子のオクタヴィアヌスが政権を握り、帝政に移行するきっかけとなった。

f. □ 十字軍

ローマ教皇が呼びかけ各国の王が、エルサレムを奪還するため出征した軍隊。数次に及ぶ。

g. □ 宗教改革

マルチン・ルターの提題をきっかけに、キリスト教徒の一部（プロテスタント）がカトリック教会から分離した事件。

h. □ アメリカ独立戦争

北アメリカの植民地一三州が同盟し、イギリスから独立してアメリカ合衆国を成立させた戦争。

i. □ フランス革命

フランスの市民が蜂起して旧体制を打倒し、フランス共和国を樹立した革命。

j. □ 第一次世界大戦

一九一四年に勃発し、ドイツ、オーストリアと、フランス、イギリス、ロシアなどが戦った総力戦。ドイツ、オーストリア側が敗北し、ベルサイユ条約を結んだ。

政治

民主主義のポイントは参政権

民主主義のもっとも重要な特徴。それは、人民が自分たちの代表を選べること、つまり「参政権」があることです。参政権とは、国政選挙で投票する権利があることです。

だから民主主義を支えるために、投票には必ず行かなくてはいけない。

「自分が投票してもしなくても同じ」と考えるのは、間違っています。誰かの一票が、選挙のゆくえを直接に左右することはない。数あるなかの一票なのだから。でも、すべての票がそうした一票なのです。自分が投票しなくても同じだからいいや、とみんなが投票しなければ、「組織票」が選挙結果を左右してしまいます。

組織票とは、特定の業界や団体のメンバーが、自分たちに有利な政策を掲げている候補者や、自分たちの息のかかった候補者に、まとまって投票することです。彼らは組織の結束があるので、必ず投票する。選挙区の有権者全員からみれば、そう大勢ではないかもしれない。けれども、投票率が低いと、組織票が選挙結果を左右する力をもち、人数には不釣り合いな大きな影響力をもってしまうのです。

これは、民主主義の危機です。だから一人ひとりが「自分は民主主義にコミットしている」という意識をもって、必ず投票することが重要です。

選挙は競馬である

私が思うに、選挙は競馬と似ている。

まず、自分が選んだ馬が勝てば配当がえられる。だから「どの馬でもいい」わけではない。事前に競馬新聞なんかで情報を集め、パドックで実際に馬を見て「よし、この馬だ」と決める。自分が選んだ候補者が当選すれば、公約どおりに、自分が望む政治が行なわれるだろう。自分の暮らしもかかっている。「誰でもいい」わけではない。そこで事前に候補者がどういう人で、どんな公約を掲げているか情報を集め、実際に候補者の演説も聞いたりして、「よし、この候補者」と決める。

馬券を買ったら、レースの結果が気になる。当たりか外れか、配当金がかかっている。気になって当然だ。選挙で投票したら、開票速報をみて、選挙結果を確認する。自分が応援した候補者は当選したろうか。気になって当然だ。

こんな感じで、競馬と選挙は、けっこう似ているのです。

ただし「レース結果」は目に見えるのに、「選挙結果」のその先の影響は、実感しづらいかもしれない。

選挙に行かない人びとは言う、「誰が当選しても同じだ」と。そうだろうか。

そう思って、若い世代の人びとが投票に行かないと、高齢者の投票の割合が高くなる。高齢者は昔の教育のせいか、わりあいまじめに選挙に行くのです。候補者は、高齢者にアピールすると当選しやすいので、高齢者を大事にします、といった政策を訴える。そのあおりで、ほかの政策は後回しになりかねない。

オーストラリアでは、理由なく投票に行かないと、けっこうな金額の罰金を科せられるという。これはいい方法かもしれない。

憲法と基本的人権

基本的人権は、憲法で保証されている権利です。

ここで間違ってほしくないのは、「憲法で保証されているから基本的人権がある」のではないこと。もともと基本的人権というものがあって、それをあとから憲法が保証している。つまり基本的人権は、憲法によらない概念なんです。

憲法で保証されなくても、基本的人権はもともと存在する。だったらなぜ、基本的人権はわざわざ憲法で保証されているんだろう？

それは、侵害される可能性があるから、念押ししているのです。

では誰が、基本的人権を侵害しそうなのか。

それは、政府です。政府は、権力をもっている。力が強い。人びとの権利を侵すとしたら、政府である。そこで、間違っても人びとの基本的人権を侵害しないように、憲法に書いておくのです。

たとえば「信教の自由」は、基本的人権のひとつです。

これを侵害する可能性があるのは、政府です。

歴史をみれば明らかだが、どの国でも政府は、特定の宗教を禁止したり、弾圧したり、してきた。そのために、血が流れたこともある。そういうことがないように、憲法に、宗教を保護すると書いておくのです。

ここが、憲法と、そのほかのふつうの法律の違いです。

刑法や民法など、ふつうの法律は、人びとをルールで縛って、社会に秩序を生み出している。人びとは、法律に従わなければならない。（厳密に言うと、刑法や民法に従わなければならないのは、裁判所。裁判所が法律に従って、判決を下します。人びとは、それを念頭に行動するので、間接的に、刑法や民法に従っているかたちになるのです。）

これに対して憲法は、人民ではなく、国（政府機関）をルールで縛ります。憲法に違反できるのは、国（政府機関）だけです。国（政府機関）が憲法に違反しているかどうかを裁くのは、最高裁判所です。

こうして国家は成り立っているのだということを人にも説明できるよう、ちゃんと理解しておかなくちゃいけません。

経済

経済の原則・契約の自由

人びとは、合意すれば、どんな契約でも結ぶことができる。そして結ばれた契約は、法律で保護される。これが経済の、そして市民社会の原則です。

保護されるというのは、裁判所が「この契約の内容は、効力がある」と認めること。契約に違反すると、損害を賠償しなければならない。

ただし、なかには保護されない契約もある。たとえば、麻薬取引の契約や、人を殺して と頼む契約。人間を奴隷のように拘束する契約。重婚の契約。刑法に違反する行為を取り 決めた契約や、「公序良俗」に反する契約は保護されません。

このように契約は絶対ですが、いちど結んだ契約をあとから破棄することもできます。 その場合には、違約金を払うなど、補償が必要になります。

人びとのあいだで紛争が生じた場合には、訴えによって法廷で、裁判所が法律によって 判断します。裁判所は、裁判という公共サーヴィスを提供する機関です。

たとえば結婚も、ひとつの契約です。婚姻届という書類を役所に提出すると、結婚が成 立します。「結婚が成立する」とは、結婚としての効力をもつことを、裁判所が保証する ということです。

結婚が続けられなくなると、離婚が選択肢になります。双方が合意すれば、離婚届を出 して、離婚が成立します。双方が合意できなければ、裁判所での調停、それもうまく行か なければ、裁判で、決着します。

社会

社会を知ることは、よりよい人生を考えること

社会のことを知る。社会の動きを読む。

なぜそれが大事かというと、社会が、自分の人生を大きく左右するからです。

いちばん影響を受けそうなのは、職業です。

人びとには、職業選択の自由があります。憲法も、職業の自由をうたっている。けれどもいざ、どんな仕事に就こうかと考えると、これがなかなか難しい。就きたい仕事に就きたくても、就けないこともある。医師や弁護士みたいに、試験がある職業もある。競争が激しい職業もある。高い伎倆（ぎりょう）が必要な職業もある。収入が低くて、生活が成り立たない職業もある。

未経験でもすぐ雇ってもらえる場合もあります。そのぶん、労働時間が長かったり、待遇が悪かったり、するかもしれません。

最近はＡＩの技術革新で、単純労働はもちろん、多くの職種がロボットにとって代わら

れています。数多くの新しい職業が生まれるいっぽう、数多くの職業が消えて行っています。

職業にも流行り廃りがあります。

私が子どもの頃は、「糸へん景気」といって、紡績業が人気だった。造船業も人気だった。石炭は斜陽産業になり、石油化学がとって代わった。

毎年、就職ランキングの人気企業が発表されます。ずっと、銀行や証券会社が人気の上位でした。けれども、ＩＴ化のおかげで、銀行や証券会社がいつまでいまのようなかたちで存在できるか、わかりません。

いったんある仕事を始めると、職業替えするのはコストがかかります。リスクもあります。人気で安定してみえる職業ほど、将来は危ないかもしれない。どんな職業を選んでもリスクはつきまとう。

そうなると、重要になるのが自分の意思。そして、自分が社会をどう見るかということです。これから社会がどう変わっていこうと、私はこの仕事をしていく。悔いはない。そう思い定めるのも、ひとつのやり方です。変わらぬ意思があれば、挫折しても、立ち直って、初志を貫ける可能性が高いから。

子どものころに習った「社会科」は、いずれ自分が参加することになる社会についての予備知識だった。でも大人にとっては、自分の生きる現場そのもの。その社会の成り立ちの根本を読み解く能力を研ぎ澄ましておかないと、後悔します。

歴史

わたしたちが生まれる前の物語

歴史の本質は、体験ではなくて、伝聞であること。ひとから聞いた話なのだ。

いちばん簡単な歴史は、自分が生まれる前の話です。

あなたは（そして、誰もが）ある日、この世界にやって来た。気がついたら、ここにいた。母親から生まれたのだという。でも覚えていない。生まれる前に、世界なんてあったのか？　でもみんなは、世界があったと言っている。そして教えてくれる。こんなことがあったよ、あんなことがあったよ。

みんながあんまり、口を揃えて言うから、あなたは思う。そうか、自分が生まれるまえから、世界はずっとあったんだ。

生まれる前の世界は、体験できない。ひとづてに聞くだけ。だから、体験ではなくて、伝聞になります。

少し前のことなら、自分の体験を話してくれるひとがいる。たとえば、母親。あなたを産むのは大変だったんだよ。でも、もっと前のことになると、母親も体験していない。この社会に生きている人びとが、誰も生まれていなくて、誰も体験していなくても、さまざまな出来事があったことになっている。

このように、とっくに過ぎ去って、体験できないさまざまな出来事について伝わっている話（物語）が、歴史なのです。

歴史は、大事です。

自分が生まれるまえの出来事について知らないと、自分の家族や、大事な人たちのことがわからない。自分たちが生まれる前の出来事について知らないと、この社会のなりたちや、前の世代の人びとがどんな苦労をしたのか、わからない。つまり、歴史がなければ、自分がどのようにここにいるかが、よくわからないのですから。

文字資料を読み解く

歴史は、過ぎ去った出来事について語られる、物語です。

その物語に、あなたは耳を傾けます。

でも、あなたは思う。過ぎ去った出来事は、あまりに多い。数えきれない。その無数の出来事のなかの、どれが語られるのだろう。どれが、語られるべき大事な出来事なのだろう。

学校で歴史を習った。出てくるのは、英雄、王さま、政治家、…。有名な人物ばかり。ふつうの人びとは出てきません。名もない人びとは無視されるのか。忘れられるのか。自分もやがて忘れられるのか。

歴史は、ある出来事に光をあて、残りの出来事は無視する。語るとは、そういうことなのです。すると、歴史は、有名な人物や有名な出来事ばかりになります。

これはあんまり偏っている、名もない民衆に光を当てよう、という歴史学がしばらく前に、流行した。有名な人物や出来事も、名もない民衆の平凡な日常も、同様に大事だ、というのです。

言いたいことはわかる。でもそれは、歴史の本質をわかっていないと思う。

過去のことがらは、多すぎる。細かすぎる。すべてを語ることなどできない。すべてを知ることなどできない。だから、大事なことを語る。当時の人びとにとって大事なことを語り、いまの人びとにとって大事なことを語る。

すると、政治が大事です。政治は、その時代の人びと全体に関わることを、決めるからです。そこで、政治家や、政治の出来事が、歴史にとっては大事になります。

たとえば、毛沢東が文化大革命を始めたことを考えます。毛沢東は、中国の最高指導者だった。文化大革命を始めることも、始めないこともできた。でも始めた。そのおかげで無数の共産党幹部が批判されて失脚し、学校は何年も休校になり、何千万の若者が田舎にやられ、何千万もの人びとが闘争で亡くなりました。

名もない民衆の生活は、大事です。価値があります。でも、そうした人びと何千万に決定的な影響を与える出来事を、毛沢東はひき起こしたのです。ならば、毛沢東と文化大革命は、その時代について、真っ先に語られる値打ちがあるでしょう。

文化大革命を体験した人びとは、もう高齢です。太平天国の乱を経験した人びとは、とっくに死に絶えてしまったでしょう。体験したひとがいない場合、語ってもらうことができません。そこで、文字に書かれた記録を集めます。

文字資料を集めて、読み解く。これが、歴史学の研究方法だ。

歴史学者は、重要と思われる文字資料を集め、その時代の出来事について研究します。

読み解いたことを書くと、歴史になる

けれど、文字資料を集めて読んだだけでは、歴史ではない。今度はそれを、要約して文章に書かなければならない。そうやって、過去の出来事について書かれた文章が、歴史です。

このように、狭い意味での歴史は、歴史家が書いた作品のことです。

歴史家はおおぜいいる。歴史家の書いた作品も、何冊もある。全部はとても読み切れない。

でも私たちは、歴史はひと筋の時間の流れのように思う。理想的な歴史は、それを言葉に直して語ってくれ、自分たちがどこにいるのか、どこへ行くのかを教えてくれるもののように思う。そういう理想的なほんとうの歴史があれば、自分がいまここに生きている理由がわかるような気がする。

歴史を学ぶとは、歴史家の書いた作品を、読むことです。でも、その作品を通して、人びとが思い描くのは、まだ語られていないほんとうの歴史なのです。

文学

文学は「人間関係の補助線」

文学はどんなものか。まず、こんな例題から考えてみよう。

どこの誰と結婚しましょうか？　結婚相手をみつけるのに、学校の勉強は役立つでしょうか？

いちばんふさわしいひとと、結婚したい。でも、世界中の人とひとり残らず出会って、自分に一番の相手を選ぶなんて、不可能だな。みんなと出会う時間がない。かりに、特別な未来ツールを使って、このひとが一番だと思っても、相手も自分を選んでくれる可能性は限りなくゼロに近いだろう。

じゃあどうやって、結婚相手を選べばいいのか。知り合えるごく限られた範囲の人びとのなかから選ぶしかありませんね。昔からの知り合いで気心が知れているとか、年齢が近いとか、趣味が同じだとか、顔が好みだとか、同級生だとか、そういう人とお付き合いしてみて、結婚相手としてどうかと見極める。

ただし、相手をちゃんと知るには一定の時間がかかります。ちょっといいなと思っていたのに、あるときとてもじゃないが許せない一面が見えて別れてしまう。あるいは、自分はかなりいい感じで関係を深めているつもりだったのに、ある日突然さよならされてしまう。そんなこんなで、あっという間に何年かが経つ。その間お付き合いできるのは、何人くらいだろうか。おそらく、数人がいいところじゃないか。結婚相手を選ぶのは、なかなか大変なプロジェクトです。

さて、この人生の一大プロジェクトに、学校の勉強は役立つだろうか。

学校には「結婚相手はこう選ぶ」なんていう授業はなかった。でも、友人ができた。人づきあいを覚え、社会性が育った。

人間は社会的動物なので、昔から、まわりの人びとと人間関係を築き、そのなかから結婚相手を見つけてきた。学校はないから行かなかったけれど、結婚して立派に家庭を築いてきた。

それはそうなんだけど、近代社会では、誰と結婚するかも学校の勉強と無関係ではないんです。学校教育を受けていないと文字を読めない。文字を読めないと文学に触れることができません。

文学とは何かというと、人間の心の機微や人生の奥深さを描くものでした。

主人公がいて、そのほかの人物がいて、何か出来事が起こって、物語が進んでいく、というのはロールプレイングゲームに似ているけれども、ゲームには人間の内面が描かれていない。描かれていたとしても、キャラクターがワンパターンだ。

その点、文学はフィクションだけれど、そこに描かれている人間の姿、心の動きや行動は実社会のそれとおなじです。だから文学は、人間というものを、その本質から理解する手助けになる。

ひとは、自分が触れたことのないものはほぼ理解できません。

お付き合いをして、相手のことをわかったつもりになっていても、それはすでに触れたことがある人間の姿に照らし合わせているだけ。引き出しに入っているものが少なかったら、それだけ理解できていないところがたくさんある可能性が高いということです。

相手の心は、切り開いてのぞきこむことができない。相手のふるまいや言葉など、表に現れるものから、相手が何を思っているのかを推し量らなくちゃいけない。だけど、相手は自分とは違う人間だ。別の感情、別の思考回路をもっている。漠然と相手の立ち居振る舞いや言葉に触れているだけでは掴みきれません。

そうなると、相手を理解するためには何かしら「補助線」が必要だ。数学の図形問題では、補助線一本引いただけで答えが見えてくることがありますね。それと似た役割を、人間関係において果たすのが文学なんです。

▶政治の必読書

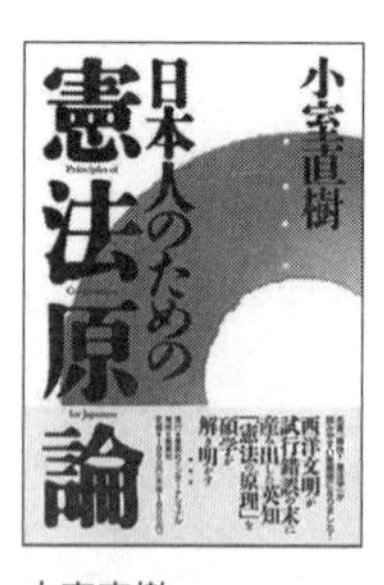

小室直樹
『日本人のための憲法原論』
集英社インターナショナル

マックス・ヴェーバー
『職業としての政治』
岩波文庫

ハンナ・アーレント
『全体主義の起源』
みすず書房

▶経済の必読書

サムエルソン
『経済学』
岩波書店

ケインズ
『雇用，利子および貨幣の一般理論』
岩波文庫

マルクス
『資本論』
岩波文庫

▶社会の必読書

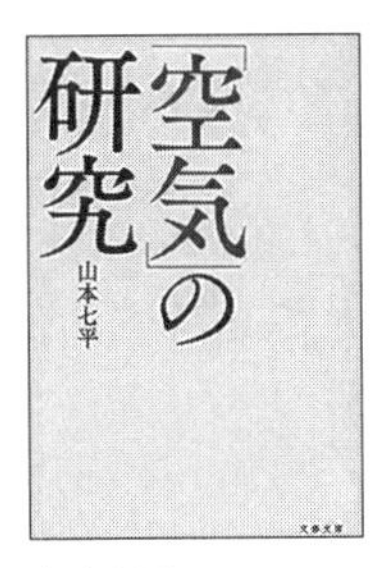

山本七平
『「空気」の研究』
文春文庫

橋本治
『上司は思いつきでものを言う』
集英社新書

宮台真司
『私たちはどこから来て、どこへ行くのか』
幻冬舎

▶歴史の必読書

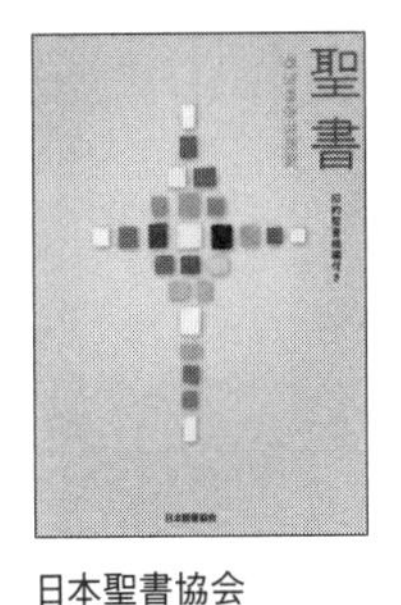

日本聖書協会
『聖書　聖書協会共同訳』
日本聖書協会

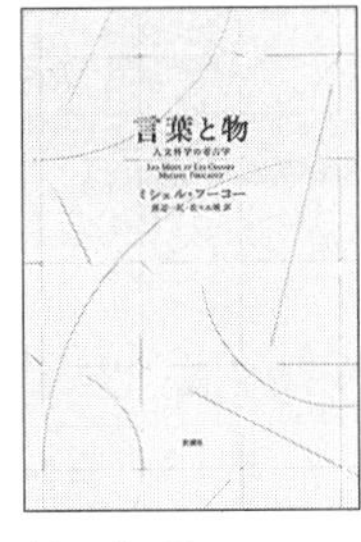

ミシェル・フーコー
『言葉と物』
新潮社

橋爪大三郎・
大澤真幸
『げんきな日本論』
講談社現代新書

第3章

なぜ、本を読むべきなのか

本はすべての学びの基本

読解力は鍛えられる

本を読むとき、とくにちょっと難しい本を読むとき、「読解力がないなあ」とため息が出ます。

読解力がある人は、著者の言いたいことをすんなりつかめるかもしれない。読解力が足りないひとは自分勝手な読みをして、とんちんかんな理解をしてしまうかもしれない。

でもこの「読解力」という言葉、ちょっと曲者なんですね。

たしかに、書かれていることを書かれているとおりに理解できないのは、読解力が足りないと言える。私も、たまに自分の本のウェブレヴューをのぞいてみると、どこをどう読めばそんなことが書いてあることになるんだ、みたいなコメントがいっぱいあります。

書かれていることを書かれているとおりに理解する。だから読解力は必要。そして読解力は、本を読むごとに鍛えることができる。

そのとおりだけれど、話はこれだけで終わりません。

あらゆる解釈に触れる魔法

本は、何通りもの解釈が成り立つ場合があります。それどころか、著者が思いもよらない解釈ができる場合もある。著者が自分で、なにを書いているかわかっていない場合もある。これは、本を何冊も読んでいるうちに、なんとなくわかって来ます。

文学は、何通りもの解釈が成り立つ本の代表格です。

たとえば、シェイクスピアが書いた『ハムレット』という戯曲がある。「To be or not to be, that is the question.」のセリフで有名な古典の名作です。

さて『ハムレット』は何について描いた作品なのか？　実は、解釈がひとつに決まっていない。いろんな人がいろんな解釈をしていて、何通りもの「ハムレット論」があるんです。

じゃあ当のシェイクスピアはどう考えていたか？　彼が生きてたら聞いてみたい。聞いてはみたいが、それでも解決にならないかもしれない。なぜなら作品は、いったん世に出たら作者の手を離れ、作者の意図と無関係に、作品を受け止める人びとのものとなるからです。受け止める人びとの数だけ、解釈が成り立つ。

読解力が大事というと、ひと通りの「正解」があるみたいに思うかもしれない。でも、そうではないんです。

本の学びを深めるために大事なのは、正解はなんだろうか、でなく、自分はどう読むか。そして、ひとはどう読むだろうかと、ほかの解釈に関心を持ち、それを突き合わせることです。ほかの読み方に触れると、そうか、自分の読み方と違うのか、と軌道修正することもある。なるほど、そういう視点を加えることもできるのかと、自分の読み方が発展することもある。

こういう試行錯誤の繰り返しが、本の学びを深めることなのです。

ひとつながりの人間の叡智

知っている人以外からの学びの道を開いた

その昔、「学び」とは、人から学ぶことでした。

大工に弟子入りして、カンナのかけ方を学ぶ。染物職人に弟子入りして、藍(あい)の扱い方を学ぶ。料理人に弟子入りして、串打ちを学ぶ。徒弟制で、熟練した親方から技術を教えてもらうのが、「学び」だった。

でもこれだと、親方が知っていることしか学べません。

一生懸命に修行すれば、親方のようにはなれるかもしれない。でも、それ以上や、それ以外にはなれない。「学び」が人間関係と結びついていて、親方に弟子入りしたとたんに選択肢が限りなく狭まってしまう。

こうした、「学び」と人間関係との結びつきを断ち切ったのが、本でした。

ある技術を習得したいとする。その技術に熟達した親方が死んでしまっても、本に書き残されていれば、学ぶことができる。自分が知りたいことを教えてくれる人が身近にいなくても、本があれば、学ぶことができる。

本による学びの可能性は、制限なく開かれているのです。

やがて学問が生まれた

本は、学問を成立させます。

学問とは、本を読むこと、そして本を書くことだからです。

本ができた最初のころ、本はひと握りの人びとが独占していました。彼らが、読んだり書き写したり、また本を書いたりしていたのです。彼らは、書記でしたが、そのうち、学者が出て来ました。

最初、大事な本の多くは、宗教の本でした。キリスト教では聖書、イスラム教ではコーラン、仏教では仏典、儒学では五経、などの聖典がある。そのほか、ギリシャには哲学の本もあった。そうした大事な書物を読み解くことが、学問の原型です。

そのうち、そうした大事な書物に関する、注釈が多く書かれるようになります。注釈があると、大事な本が理解しやすいということで、注釈を読んだり、書いたりが盛んになった。本がどんどん増えていきます。

それから、注釈ではない本も生まれた。たとえば、小説。日記、紀行文。歴史。法律。あるいは数学の証明や物理の実験記録など、宗教とは無関係に書かれた本の数々。こうした世俗の本が増えてゆき、宗教とは別の学問がだんだん発展していく。

図書館が推し進めた「知の自由化」

学問は、教会だけのものだったのが、教会と関係がない学問もありになった。神学が大事になり、そのうち、法律や医学も大事だ、ということになったからです。そこで生まれたのが、それらの学問を学ぶ場所、「大学」です。

大学には、「図書館」がある。教会や修道院にも本をしまう場所はあったろうが、教会の手で、厳重に管理されていた。それに対して、大学の図書館は、その縛りがゆるい。学問の発展の成果である書物が並んでいて、何年経っても読める。本を書けば、本は図書館のなかで生き続ける。学生はそれらに触れて、学問の探究を続ける。そのうち何人かは、後進を指導し、自分でも本を書いて学問の発展に寄与する人、すなわち教授になる。

教授が学生を教え、本を書き、図書館に収蔵され、学生がそれを読み、学問を探究して本を書き、…というサイクルが連綿と続いて、今日に至るのです。

本ははじめ、手で書き写す写本で、高価でした。そんなにどこにもあちこちあるわけではない。それでも図書館は、学問を志し探究の能力と意欲のある人びとに、扉を開いている。「知の公共化」「知の自由化」が始まった。

本は本来が、公共的で、自由なものなのです。

本を読むのに、著者に断らないでもいい。著者の家来や友達にならなくてもいい。勝手に読んで、勝手に引用して、勝手に批判してよいのです。本は、人間関係や社会関係から切り離された、知のやりとりである。風通しがいい。

私たちは本に慣れていて、本があるのが当たり前だと思っているので、本のこうした性質に改めて注意が向きません。そのすぐれた特徴を噛みしめたいものです。

本は、印刷して出版できるようになって、価格が下がりました。図書館でなしに、個人が本を所蔵するのも当たり前になりました。本の出版が普及すれば、学問も大学の外の、より多くの人びとに普及します。

公共図書館も増えました。大学に属さない在野の知識人やジャーナリスト、一般の市民が知的活動をするのに、図書館は大事です。カール・マルクスが亡命先のロンドンで、図書館にこもって『資本論』を書いたのは有名です。レヴィ＝ストロースも亡命したアメリカのニューヨークの市立図書館で、博士論文『親族の基本構造』を書いています。

いまはウェブの時代で、電子書籍も増えました。著作権の切れた書籍を、電子化して、無料で公開するプロジェクトが、少しずつ進んでいます。わが国も、日本語でこれまで刊行されたすべての書物を、電子化して公開する「日本図書館」プロジェクトを始めるべきでしょうね。

本で「学ぶ」とは、いまのべたようなひとつながりの人間の叡知の連鎖の一端に、触れるということ。昔から少しずつ時間をかけて進んできた知の自由化と民主化の流れが、この一冊の本となって届いた。私たちが手にするどの一冊の本にも、それだけの価値と苦しみと喜びがこもっているんです。

読むのが苦手な人のための読書入門

速く読む必要なんてない

学びの基本は「本による学び」です。

人に学ぶ、ネットを駆使して学ぶ、などもありますが、まず、本を読まないで「学ぶ」は始まりません。

ところが、読書が苦手です、というひとがよくいる。

どうしたらよいでしょう。

まず、読書（とくに、大人になってからの読書）と、学校の勉強とは、まったく別物だとわかってください。教科書もない。誰に言われるでもない。ただ自分の興味で、読みたいから読む。いやなら、読まない。宿題もない。作文もない。テストもない。まったくの自由。それが、大人の読書です。

そう、自由なんです。これが、読書のすばらしい点だ。

だから、「読書が苦手」って、ちょっと変です。読むのが苦手なら、読まなきゃいいんだから。

想像するに、たぶん、間違えて、つまらない本を選んでしまった。難しい本を手に取ってしまった。……のかもしれません。

でなければ、ひとと比べていないかな。あのひとは3時間で一冊読み終えるとか言ってるけど、わたしはそんなに早く読めない。じゃあ、わたしは読書が苦手なんだ、とか。ひとと比べるなんて、やめましょう。自分のために、自分が楽しいから、読みたいから、読むんだから。

よく、速読法みたいな本を売ってます。そんな本は、読むだけむだ。速く読む必要なんて、ありません。自分のペースで読めばいいんですから。

実用書から始めよう

本のなかで読みやすいのは、実用書です。

誰だって、必要に迫られれば、やり方の書いてある本を読むでしょう？

たとえば、子どもに親子丼を作ってと言われたが、作り方がわからない。今はネットでも簡単にレシピ検索ができるけれども、プロの料理人の作り方で「わあ、おいしい」と言わせてやろう。

そこで『家庭で本格和風料理百選』みたいな本を買ってきて、「親子丼」のページを読む。必要な材料が書いてあって、鶏肉の切り方が書いてあって、たれの作り方が書いてあって、火加減が書いてあって、タマゴを二回に分けて入れましょうとか書いてあって、やってみたら出来た。子どもも大満足です。

あるいは、「医療費をたくさん支払ったひとは税務署に申告するとお金が返ってくる」と聞いたので、『やさしい確定申告の手引き』を買ってきて、「医療費控除」のところを読む。そのとおりにやってみたら、本当に数万円が返ってきた。

このように、成果が目に見えれば、そして必要なことなら、誰だって自分から本を読みます。実用書を読むのが、嫌いという話は聞きません。だって、読めば得するのだから。

実用書は、教養書ではありません。

実用書は、すぐ役に立つ。教養書は、いつ何の役に立つのか、まるではっきりしない。

教養書は、読むために読む本なのですね。

ということは、教養書は、読んで楽しく、面白いほうがいい。面白くない本は、続かない。ほかのひとが何と言おうが、自分が楽しく、面白く読めることが大事です。よって、楽しくも面白くもない本は、読まなくていい！　これが、結論です。

でもちょっと、フォローしておこう。

どんな本を「楽しくて面白い」と思うかは、年齢とともに、そして、読書の経験とともに、変化して行きます。子どものころ食べられなかったピーマンやニンジンが大きくなって食べられるように、昔だめだった本が、なんだ、こんなに面白いのか、と思うことがあるのです。だから、あきらめないように。

そしてもうひとつ、本には、読む順番というものもあるのです。初級→中級→上級、みたいになっている本は、この順番で読まないと、いきなり上級を読んでしまうと、どこが面白いのかわからない、ということになります。だから、読書を続けていると、楽しく面白く読める本が増えて行きます。（あまり簡単な初心者向けの本は、逆に、上級者になると、面白く読めなくなることもあります。）

実用書と教養書の中間に、『これを知らないと恥ずかしい、大人の教養キホンの基本』みたいな本もあります。脅しですね。本を読む動機が、「教養がないと思われたくない」

「こんなことも知らないの、と言われて恥をかきたくない」になってしまっている。

　こういう本のなかみは、中学、高校のおさらいです。あるいは、最近よくニュースに出てくる、いまさら人に聞けない基礎知識です。でも、自分の苦手な分野を補ってくれるので、案外役に立つ場合もあります。教養の入門書だ、と割り切って、こういうのも一、二冊読んでみるのもいいかもしれません。すると、そのほかの本が読みやすくなるかも。

　ではあと、どんな本に手を伸ばしたらよいか。

　本には「定番」があるので、定番を押さえるのが、ひとつのやり方。定番の書物は、昔から読まれていて、いろいろな人びとに刺戟を与えてきました。本の書き手にも影響を与えました。そういう本を押さえると、ほかの本を読むときの補助線になる。

　もうひとつは、いろいろな分野の本を読む。本は、食べ物の栄養と同じで、バランスがあるのです。文学、歴史、哲学、美術、…。科学、ノンフィクション、伝記、…。ライフスタイル、ファッション、子育て、…。どの分野にも、よい本がいっぱいです。

　それから、逆のようだが、ある方向を掘り下げる。哲学の本をいろいろ読むとか、特定の著者をまとめ読みするとか。興味の向くままに、深追いします。

　そうなると次第に、本を読む動機が「そこに書かれていることによってプラスを得たいから」ではなく、「そこに書かれていることを読むと充実するから」に、自己目的化していくでしょう。これぞまさに「楽しいから教養に触れる」の境地です。

古典との出会い方

まず、オリジナルに触れてみる

さて、教養に触れる読書へと興味関心が広がったとして、もっと教養を深めるには、何を読んだらいいだろうか。

教養とは「今まで人間が考えてきたことのすべて」でした。そして、すべてのことがらはつながっています。あることとあることは、はっきりつながっている。うっすらつながっていることもある。人類が途切れなく世代を受け継いで発展してきたように、教養もまた絶え間ない流れのなかで発展してきたのです。

かと言って、世の中のありとあらゆる本をみんな読むなんて、無理。

じゃあ、どうしたらいいか。私の答えは、「古典を読む」です。

古典とは何か。

古典とは「あることを最初に考えた人が書いた本」のこと。あるアイデアの「オリジナル」です。

たとえば、マルクス経済学に関する本はたくさんあるが、そのおおもとになるのは、カール・マルクス本人が書いた『資本論』である。

仕事で、上司の指示をきちんと理解するには、本人の口から聞くのがいちばん正確ですね。人から人に伝わるうちに、大事なことが抜け落ちたり、枝葉がつけ加わったりしてしまう。自分に届くころには、すっかり元と違う内容になっている。伝える人に悪気がなくても、伝言ゲームになってしまうのです。

これと同じことは、本の世界でもよく起こる。だから、オリジナルの古典を読むのが、いちばんいいんです。

時間にさらされて、古典になる

人類の歴史は、試行錯誤の歴史です。

おおぜいの人がたくさんの問題について、考えてきた。そこでわかった大事なことを本に書き、後世に伝えた。今日に至るまで名が残っている人びとは、後世にも認められた、そうとう優秀な人物に違いない。

ものごとは、時間が経つと、真価がわかってくるという一面があります。

たとえば、モーツァルト。世界でその名を知らない人はいない、大作曲家です。

彼の同時代に、サリエリという作曲家もいたんだけど、知っている人はもうあまりいませんね。でも二人が生きていた当時、モーツァルトよりサリエリのほうが偉いと思われていた。

モーツァルトは天真爛漫な天才。サリエリは生真面目な努力家。正反対のタイプのふたりには、それぞれパトロンがいた。才能の差は歴然としていたのにと思うのは、後世からみるからで、音楽家としてはどちらもそれなりだった。でも大作曲家として後世に名を残したのは、モーツァルトだった。

という知識は、映画『アマデウス』で広まったのですね。

モーツァルトの作品なら、誰でもメロディが思い浮かぶ。サリエリの作品を知っているのは、ひと握りの専門家だけだ。

時の流れには、同時代に生きている人びとの地位や権力や利害関係を洗い流す作用があります。そしてものごとの本質だけが残っていく。「本当に才能があった人」の名前と業績だけが、後世に語り継がれる。

これと同じことが、本の世界でも起こります。

つまり、古典とは、後世に名が残るほど優秀な誰かが、全力でまとめあげた思考のかたまりなのです。

古典は人類の財産です。そして、自分さえその気になれば、すぐ手が届くところに並んでいる。

著者は命がけで書いている

まだ世の中に存在しない考えを著すのは、とても勇気がいることです。

新しい考えは、たいてい、とんがっています。自分が生きている社会の常識、通念、倫理、道徳、価値観と抵触する。人びとが真実と考えていることを、覆すかもしれない。そこで強く非難され、社会的に抹殺される恐れすらある。比喩ではなく、ほんとうに処刑される可能性もあった。

それほど命がけで書かれたからこそ、古典には迫力がある。ほかの誰も気づいていないことを、自分だけが考えついた。それを世に知らしめてやるんだという、著者の気迫が伝わってくる。あるいは、ほんとうにこう考えてしまっていいのかという、著者のためらいが伝わってくる場合もある。これは、ぜひみなさんにも味わってほしいものです。

でも、ここで大きな問題が生じる。

きっとこう思ったんじゃないかな。いきなり古典を読むなんて、ハードルが高すぎるなあ、って。

そのとおり。古典は難しい。一冊読み通すだけでも本当に大変です。読み慣れないと、きっと途中で投げ出したくなるでしょう。

というわけで、古典を読むのが理想的ではあるんだけど、その代わりのお勧めは、「古典の解説書の定番」を読むことです。

古典の解説書は、古典ではありません。古典の役目はつとまらない。でも、その香りが残っています。解説書の著者は、自分で古典を読んでいるからです。

でもさっきの、伝言ゲームの落とし穴にはまるかもしれない。それに気をつけるには、つぎのコツを押さえておこう。

読むべき古典解説書の見つけ方

まず、最近書かれた解説書を何冊か見比べる。買ってもいいけれど、大きめの書店か、図書館で読み比べてもいい。

そこで、本文を読むのではなく、まず「出典」をざっと見てほしい。「出典」とは、「本書はこれらの本を参考にして書きました」という本のリストです。解説書を書くのに、著者が、元の古典しか参照していないとは、まず考えられません。過去に出版された解説書も参照するのが普通です。そこで三冊なり五冊なりの解説書の出典をみると、一冊くらい、すべてに共通して参照されている解説書が見つかるはずです。

複数の著者が共通に参照しているということは、それだけその解説書はよく書かれているということ。いわば著者の間で「古典化している解説書」。これこそ読むべき解説書、というわけです。

このやり方で問題があるとすれば、ちょっと古い本だということ。もう買えないかもしれない。それなら、何冊かに言及されている、評判のよさそうな本にします。

古典で問題解決力を磨く

こうして古典に親しんでいるとどうなるか。

知らず知らずのうちに問題の対応力が養われていくんです。

人間は、だいたい同じようなことでつまずき、悩むようになっている。歴史は繰り返すと言うのも、人間はわかっているのに、同じような間違いを繰り返すからです。

もちろん、世の中は変化していくので、何百年も前の人びとと、まったく同じ問題に直面するのではありません。古典に書いてあるとおりに、解決できれば苦労はないんだけれども、古典に「答え」が示されていない新らしい問題が起こっているものなのです。

それでも、問題の根底には、似通った部分がある。「昔の、あの問題と似通っている」と気づくことができれば、問題解決に、大きく前進します。古典から、解決のヒントをえられるのです。

人生は問題の連続です。問題を乗り越えてより幸せに生きる。そのために、古典が役にたつのなら、なんと心強いことでしょう。逆に言えば、本を読むという選択肢をなしにして、自分の頭だけで複雑な現実の問題に立ち向かうというのは、ずいぶん無謀ではないかと思うんです。

じゃあ、どの古典がいつ、どんな問題を解決するヒントとなるのか？　それはわかりません。それがわからないところが、教養というものだから。

ある問題に直面したときに、そう言えばと、古典のどこかで読んだ記憶が刺戟されて役に立つ。あの古典で読んだことが役立った、と意識できなくても、役に立つことは多いのです。

古典は実用書ではありません。いつ役立つかわからないから、読むときの動機は「読みたいから読む」。本を読むことが自己目的化していてよろしい。

でも、近い将来か遠い将来か、読んだことが役に立つでしょう。本を読むことをまず自己目的化する。そのあとで、その先にある最終的な目的（身につけた教養を人生に役立てる）を、楽しみに待てばよい。これをやったらこうなる、という明確な因果関係はない。でも、現実と正しく向き合える頭を養う最良の方法。それが、教養を養う読書なんです。

「知の伝言ゲーム」にはまってはいけない

知識は人に伝わるほど歪曲されていく

知識は人間が生み出すものです。

ある人が、あるアイデアを最初に言い出した。それがよい考えだとなれば、周りの人にも認められ、さらに人から人へとどんどん伝播し、最終的には誰もが知るようになる。

知識は、言葉として伝わる公共のもの。昔は口伝だったが、いまは本になった。本は、複製可能。複製可能だから、知識を生み出した本人から直接に教えてもらわなくても、時代や場所の制約を超えて、誰でも触れることができます。

知識を複製したり、二次加工したりすることも、大事な活動です。

ある素晴らしい知識がある。それをほかの人にも伝えたい。せっかくなら「もっとわかりやすく」「もっと噛み砕いて」「要点をまとめて」伝えたほうが、より多くの人に伝わるだろう。

知識の複製は、そんな精神に支えられている。実際、そうした人びとがいるおかげで、知識はつぎつぎ複製されて、より広く伝播するようになった。私たちが一〇〇年も二〇〇年も前の哲学者のアイデアに触れることができるのも、そのおかげです。

でも、この過程で、ひとつ問題が起こる。知識は、生み出した本人の口から他者へと伝わって行くほど、薄まる（あるいは、歪曲される）傾向があるんです。

ケインズが本当に言いたかったこと

たとえば、ケインズという経済学者がいた。第一次世界大戦から第二次世界大戦にかけてのころ名を馳せた、近代経済学を代表する大物です。

第一次世界大戦後、ヨーロッパは大変な不況に見舞われた。人びとは失業し、物資は行き渡らず、みな経済的に苦しい状況にあえいでいた。これまでの経済学では、有効な手が打てなかった。

そこでケインズは、『雇用，利子および貨幣の一般理論』という本を書く。一九三六年のことです。その本でケインズは、「赤字国債を発行し公共事業をおこして、有効需要を喚起するのがよい」と提言した。

有効需要とは、社会全体で人びとがどれだけ商品を買うか、ということです。物資は不足していて、需要はある。でもお金がない。これは、有効需要ではない。有効需要がなければ、モノが売れない。モノが売れないから、工場は稼働しない。企業は利益が出ないから、設備投資を控えてしまう。投資が不足するので、やはり有効需要は落ち込みます。

こうなると困るのは、労働者です。有効需要が落ち込めば、雇用の水準も落ち込んで、失業者が増える。当然、消費が落ち込む。こういう悪循環が生じている、というのがケインズの診断です。

ではどうするか。民間企業に、投資しろと命令することはできません。そこで、政府が公共事業をする。不景気で税収が足りないだろうから、赤字国債を発行して、財源にあてる。政府のお金で、道路やダムを造るのですね。こうして、有効需要が追加されるから、景気が上向いて、回復の軌道に乗る、これがいわゆる、ケインズ政策です。当時は、画期的な提言でした。

このケインズの考え方を「有効需要の原理」といいます。

これは素晴らしいアイデアで、時代を超えて受け継がれ、「景気対策の基本」として経済学の教科書には必ず載っています。

でも問題は、受け継がれるうちに、どうもケインズの意図に反した話になっていることです。

ケインズが「赤字国債を発行し有効需要を喚起するのがよい」と訴えたのは、第一次世界大戦のあと、大恐慌の難局にもがいている世界経済を、救うためだった。

ところが、これがあまりにも効果をあげたために、「公共事業で有効需要を喚起」する政策が、景気対策の定番として安易に用いられるようになった。でも赤字国債は、国の借金。借金はいつか返すことになる。そしてその原資は、国民の納める税金。ケインズの本をよく読むと、有効需要政策で景気が上向いたら、税収で、赤字国債を返済しなさい、とちゃんと書いてある。ケインズ政策は、大恐慌を前にした、応急措置なのです。

それなのに、景気対策と称して、毎年のように公共事業をやりまくる政策が、ケインズ政策とよばれています。日本もこの典型で、バブル以降の景気の停滞をなんとかするという名目で、ばんばん国債を発行し、一二〇〇兆円も積み上がっています。これは、背筋が凍りつくような数字です。

大学の経済学の教科書で、ケインズ政策をちょい読みして、役人になったり政治家になったりすると、こういうことになる。そうではなくて、ケインズの書いた古典をちゃんと読んで、とくにその「但し書き」の部分にしっかり目をこらす。これが正しい本の読み方だと思います。

「但し書き」とはどういうものか、説明しましょう。ものごとには、「条件」というものがあるのですね。ある命題が成り立つための、前提です。方程式 $ax = b$ の解は？ $x = \frac{b}{a}$、はい、正解。ですが、それは無条件でそうなのではなく、$a \neq 0$ の場合。$a = 0$ の場合は別に議論しなくちゃならない。この、$a \neq 0$ が条件、つまり「但し書き」です。議論を正確に読み解くとは、主張が成り立つための前提を、しっかり押さえること。しっかりした著者は、その前提をはっきり意識して、明示して書いてあります。それを読みとばしてはいけない。読みとばすと、いまのべたみたいになる。

と、長い話になりました。このように、知識とはとかく、薄まったり歪曲されたりしやすいので、気をつけましょう。

ケインズ政策に限らず、いろんな分野で、便利に使われている概念や理論があります。優れた議論であるほど、便利に使いたくなる。けれども、オリジナルでのべられていた大事な但し書きが、抜け落ちている場合がよくある。

だからこそ、古典や、せめて古典に気を配った解説書の定番を、じっくり読みたいものです。

読書の幅の広げ方

自分にぴったりの「読書コンシェルジュ」をもつ

膨大な本があるなかから、読むべき一冊と出会う方法。

ひとつは、前に述べたように「古典化した解説書」を探り当てること。

そしてもうひとつ、さらに読書の幅を広げるのに有効な方法があります。

それは、本好きの友だちをもつことです。

同世代の友人とは限らない。年上の司書さんや、書店員さんでもよいのです。いまはオンラインの読書コミュニティなんかもあるらしいから、参加してみるのもいいと思う。ともかく、「本が好きで、本の目利きであると思われる」友だちをもつ。これが、読書の世界を一気に広げるきっかけになります。

せっかく本を読むなら「読むに値する本」を読みたい。けれども、読むに値するかどうかは、実際に読んでみなくてはわからない。これを手当たり次第に繰り返すと、労力も時間もお金もかかってしまいます。

そこで、本好きの友だちに、今年読んだ本のイチ押しとか、昔読んでとてもおもしろかった本とかを聞けば、すばらしい情報になる。本好きの友だちは、自分の「読書コンシェルジュ」みたいなものなんです。

この考え方は、SNSにも応用できます。じかに知り合いでない人の発信を見られるのが、SNSの最大のメリットです。

有名な文化人や識者にもSNSで発信している人は多い。彼らは「最近読んだ本」についてもさかんに投稿しているようです。気になる文化人や識者をフォローすれば、やっぱり「読書コンシェルジュ」として十分役に立ってくれます。

サークル活動のすすめ

こうしたやり方をもう一歩進めて、自分で「読書サークル」をつくってしまうというのも素晴らしい。

サークルですから、本の情報を人から手に入れるだけでなく、自分からも提供する。読書を楽しみに続けて何年か経つと、こういうこともできるようになるはずです。

サークルといっても、大げさなものではありません。

まず自分から、『これこれ（本の題名）』を一緒に読みませんか、と呼びかける。大勢でなくてよいのです。全員に発言のチャンスがあるのは四～五人か、多くても一〇人ぐらいです。

これくらいの人数が集まったら、日時を決めて読書会を開く。誰かが口火を切り、あとは自由に意見交換。会が終わったら、このグループは解散。また別の本を題材に、改めて参加者を集めればいい。

いまは、リモートで会合を開くのに、みんな慣れてきましたから、リモートもよいと思います。リモートなら、遠方のひとも参加できる。

メンバーを決めたかっちりした読書会でも、もちろんよいのです。でも、組織を作ってしまうと、運営面にも手がかかります。気苦労もある。仕事の片手間に続けるのは、たいへんかもしれない。

テーマ（本）ごとに参加者を募るというスタイルなら、煩わしくない。自分で読書サークルを主宰してみると、「本好きの友だち」の輪が一気に広がるのです。

第4章

辞書・事典でしか学べないこと

国語辞書で学ぶ

結局、辞書がいちばん早い

さて、調べものの話です。まず、辞書。

辞書の引き方は小学校のころに習ったと思います。でも大人になって、辞書を手に取ることはほとんどなくなったんじゃないだろうか。

教養を深めるには、辞書を引くことも大事です。インターネットで簡単に調べられるように思っても、辞書はやっぱり重要です。

ウェブの情報は、玉石混淆（ぎょくせきこんこう）なんです。うっかり鵜呑みにすると、不正確な知識や情報を頭に入れることになる。これは危険なことです。

これに対して、出版された辞書には、基本的に誤りがありません。

もちろん人間のやることだから、制約はあるかもしれない。時代が移り変わって、内容が古くなっているかもしれない。新しい言葉は、載っていなかったりする。そのため、版を重ねるたびに、少しずつ改訂されている。辞書とは、編集者や出版社が重大な責任感と熱意を注いで、何度もチェックを重ねた成果物なんです。

というわけで辞書に誤りは「ない」というのが大前提。

ネットの情報洪水のなかで、何が正しいのかと右往左往することを思えば、辞書ほど効率的に正しい情報を提供してくれるものはありません。結局は、辞書を引くのが一番手っ取り早いんです。

語彙の幅は、思考の幅

さて　辞書には　大きく分けて二種類ある。

ひとつは、母語に関する辞書。もうひとつは、外国語に関する辞書。

母語に関する辞書は、日本人にとっては、まず国語辞典ですね。

人間は、言葉を知らない状態で生まれてきます。みながある言葉を話している環境（言語共同体といいます）に置かれて、言葉にふれているうちに、自分も話せるようになり、学校に行く年齢になる。さらに語彙(ごい)はどんどん増えて行き、大人になるまでに、日常不自由なく言葉を話したり読んだり書いたりできるようになる。

それでもときおり（たとえば、ちょっと難しい本を読んだときや、上の世代のひとと話をしたときなど）、知らない言葉に出会うことがある。

そこで国語辞典を引いて、意味がわかる。

言葉の意味をしるとは、自分でも使えるようになるということです。新しい言葉を知ると、使える言葉がひとつ手に入る。使える言葉が増えれば、表現の幅も拡がる。

言葉はなぜ大事か。

ことがらの意味を、概念といいます。人間は、自分のなかにその概念がないことがらについては、考えることができません。

たとえば、自分のなかに自由の概念がないひとは、自由が大事だとか、自由になりたいとか思うことができない。みんな自由になろうよと呼びかけたり、誰かの自由を守ったりすることもできない。

そして、自由の概念を成り立たせるのは、「自由」という言葉なのです。「自由」という言葉がなければ、自由の概念もないし、自由ということがらが存在できない。

言葉の大事さが、伝わったかかな。

その言葉の総元締め、貯金箱にあたるのが、辞書なのです。

別な例。何か嫌なことがあるたびに、「サイテー！」と叫ぶひとがいたとします。ほんとうなら でも嫌なこと、ネガティヴなことは、いろいろ種類があるのではないか。いろいろほかの言い方もあるはずです。「腹立たしい」「むなしい」「悲しい」「いらいらする」「疎ましい」……と、いろいろ それをひとくくりに「サイテー！」にしてしまうのは、それ以外の言葉を知らないからではないか。

自分の内面や感情を表現する言葉が増えると、自分を理解する度合いが進み、ほかの人びとと交流する手段も増えます。豊かな言葉を通じて、豊かな人間関係がつくれるかもしれない。

そういうチャンスを失っているとしたら、もったいないことです。

そういう言葉の拡がりを、気づかせてくれるのが辞書です。

そして、その言葉の用い方の実例を、示してくれているのが小説そのほかの文学作品です。そのほかの本にも、さまざまな言葉づかいが詰まっています。

言葉を豊かにし、感覚を研ぎ澄ます。そうやって、人生を豊かにするやり方もあるのです。

英語は本当に必要か

翻訳ＡＩがあれば、英語はいらない？

では、外国語の辞書はどういうものか。

外国語を学ぶには、もちろん不可欠のものです。使い道も、わかります。でもここで考えてほしいのは、つぎのことです。

そもそもなぜ、外国語を学ぶのだろう？

日本では中学になると、英語を学びました。いまでは、小学校からになりました。なぜ義務教育に、英語が組み込まれているのか。

世界共通言語である英語を、最低限は読み書きできて、話せたほうがいいからか？　将来、国際的な人材を養成する基礎となるからか？　英語ができたほうが将来、職業選択の幅が広がるからか？　そもそも日本人が英語を学ぶのは、たまたま日本が「英語の非ネイティブ国」だからなのか？

もしもこうした理由だとすると、英語ネイティブの国の人びとは、外国語を学ぶのは無意味、ということになってしまう。そういう話なら、英語は学ぶ必要がある、でもそのほかの外国語は学ばなくてもいい、ということになりそうだ。外国語を学ぶことの必然性は否定されてしまう。

しかもいまは、ＡＩ技術の時代です。ものすごい勢いで発達しているテクノロジーによって、かなり精度の高い多言語翻訳ＡＩが誕生するのも、時間の問題でしょう。

となると、日本人が苦労して英語を学ぶ必要はなくなりそうだ。

外国語を学ぶのは、外国の人びととコミュニケーションをとるため、とだけ考えれば、それを肩代わりしてくれる機械が登場すれば、肩代わりしてもらえばよいのです。

こうして人間は、外国語を学ぶ負担からついに解放される。ＡＩ万歳、めでたし、めでたし。そういうことでいいんだろうか？

母国語の枠組みから飛び出そう

もう外国語を学ばなくていいんだ、やった！　と思った人もいるかもしれません。でも私は、反対です。

まず、外国語を学ぶのは何も、外国の人びととコミュニケーションができるようになるため、ではない。少なくともそのためだけ、ではない。外国語を学ぶのは、母語による思考の枠組みから自由になり、自分の思考を相対化するためです。

先ほどのべたように、生まれたばかりの人間は、言葉を何も知りません。言語は生まれつきのものではなく、あとから身につけるもの。つまり後天的だ。英語の環境で育てば、英語を身につけるし、日本語の環境で育てば、日本語を身につける。スワヒリ語の環境で育てば、スワヒリ語を身につける。

さて、言葉が人間の思考の基礎であることは、国語辞典のところでのべたとおり。英語を身につけたひとは英語でものを考えるし、日本語を身につけたひとは日本語でものを考える。スワヒリ語を身につけたひとはスワヒリ語でものを考える。こうして、意識しなくても、母語の思考の枠組みができあがる。

そこで、外国語を学ぶことのポイントは、母語とは違うもうひとつの思考の枠組みを頭の中に組み立てる、ということなのです。

日本語しか知らなければ、日本語の思考の枠組みが絶対になってしまう。日本語の概念を組み合わせて、ものを考えるしかない。ところが少しでも外国語に触れると、その外国語の思考の枠組みを通して、母語の思考の枠組みを見直すことができる。英語にはこんな概念があるんだな、と知ることができる。日本語の概念は、こうなっているな、と考えることもできる。これがまさに、思考の相対化です。母語の思考の枠組みからちょっと解放されてものを考える、頭の自由度。思考の柔軟性が高まる、と言ってもいい。

何も外国語をすらすら話せるようにならなくても、母語を相対化し、自分の思考を相対化することができれば、それが外国語を学ぶ大きなメリットなのです。

絶対的に正しい思考は存在するのか

思考の枠組みは、それぞれの言語で異なります。

どの言語が正しいか、という問題ではない。どの言語も相対的、つまり、さまざまな思考の枠組みのなかのひとつだ、ということに過ぎません。

では、人間にとって、「絶対的に正しい思考」は存在できないのだろうか?

言語は相対的だから、言語に縛られた思考は、絶対的とは言えない。でも、言語によらない思考があれば、それは絶対的かもしれない。

言語に縛られない思考の枠組みとは何か。それは、数学。数字（や図形）を使ってものを考える数学は、言葉によらない、すべての人びとに共通する「絶対に正しい思考」を組み立てることができる。

数学を使ってこの世界を説明する、物理学にも、数学のような性質がある。言葉によらず、数字で論証されたものは、絶対的に正しい。

いっぽう、文学や法律や歴史は、言語の枠組みに縛られるので、絶対的な正しさを主張することができない。言語という、相対的な思考の枠組みのなかで、自らを深める学問なのですから。

言語ごとに、その言語で正しいとされる概念がある。もっと細かく言えば、人間が違えば、思考の枠組みは微妙に異なるかもしれない。だからこそ議論が生まれ、議論の積み重ねによって人びとの思考は発展していく。

外国語を学ぶと、こうした言語の相対性を、深く理解することができるのです。「数学で証明されないものは、絶対的に正しいとは言えない」というふうに、頭が整理されていく。

そうなると、「自分の考えは絶対に正しい」などと、もう言えなくなりますね。人間にはみな、その人なりの考え方があるということに、考えが及ぶようになる。これも、外国語を学ぶメリットなのです。

「水＝water」は本当か

言語はそれぞれ異なります。

発音が違う。単語が違う。文法が違う。使っている文字だって違うかもしれない。英語など、多くのヨーロッパ諸国の言語は、ローマ字のアルファベットを用いる。日本語は、「ひらがな」「カタカナ」「漢字」を用いる。それ以外にもアラビア文字やキリル文字など、じつに多様です。

だから外国語を学ぶには、まず、その言語の音の体系（日本語でいう「五十音」に当たるもの）から覚えなくてはいけない。

でも本当に大事なのは、こうした違いではありません。

言葉の表す「概念」が言語によって異なる。この点こそが重要なのでした。

日本語と英語を比べてみます。

たとえば、日本語の「水」を、英語で「water」という習う。

じゃあ「お湯」は英語で何というか。「hot water」だ。

おや、と思いませんか？

日本語では、水を熱したものを「熱い水」とはいわない。「お湯」という。「お湯」でないものが、「水」。つまり、日本語の「水」の概念には、「熱くない（常温　冷温）」という意味が含まれている。

これは、英語の「water」とずれている。熱い水は、「hot water」。「water」は冷たかろうと熱かろうと「water」なのだ。

ということは、「水」＝「water」なのではないのです。

「水」と「water」ならばまだ平和な話です。へえ、そうなんだ、ですむ。しかし、言語と言語の間には「概念の違い」があるという前提を意識して外国語に接してみると、これまで見過ごしていた重大なことがらに気づくことがあります。

「国民」「人民」「臣民」？

その代表格は、私が思うに、「国民」という言葉です。

じつは英語に、「国民」をさす単語がありません。フランス語にもドイツ語にもない。

アメリカ合衆国憲法の前文を見てみます。

冒頭、日本国憲法でいう「前文　日本国民は」のところには、「We the People of the United States」とある。「People」だから「人びと」。いや、もっとはっきり「人民」を意味する。訳すると「われわれアメリカ合衆国の人民は」と書いてある。「国民は」ではないのです。

アメリカ合衆国憲法にかぎらず、フランス共和国憲法は「Le peuple français（フランスの人民）」、ドイツ連邦共和国基本法では「das Deutsche Volk（ドイツの人びと）」と書いてある。

主権者なのは「人民」であって、「国民」ではない。どの言語にも、そもそも「国民」という概念がない。これは、大事な点です。

「人民」と「国民」は違う。いいですか。「人民」は、国家があろうとなかろうと、「人民」。だから、「われわれ人民は、国家を造りました」と言うことができる。これは、ロックやルソーなどの思想家が唱えた「人民主権」の思想の基本。近代国家を支える基本概念です。けれども「国民」は、国家がなければ、「国民」でない。国家に依存している存在です。

日本国憲法は、外国の憲法を真似して、外国の憲法と同じことを言おうとし、「われわれ国民は、主権者で、日本国を造りました」みたいな文章をつくった。でもこれは、「われわれタマゴは、主権者で、ニワトリを造りました」みたいな、非論理な循環論になってしまっている。だから日本語で憲法を読んでも、憲法のことがよくわからないのです。

そんなことを言っても、英語の辞書をみると、「国民」＝「nation」と載っているではないか。

そうです。でも、「nation」は、集合名詞で、一人ひとりの人間を指すことができないのです。ある国を構成する人びとをまとめて、「nation」という。

その一人ひとりを指したいときには、「national」といいます。これは、国籍保有者、という意味です。「Japanese national」なら、日本国籍の保有者。「American national」「French national」とは、「アメリカ国籍の保有者」「フランス国籍の保有者」という意味です。

「国籍保有者」なら、「国民」と大して変わらないじゃないか、と思わないで下さい。「国籍保有者」なら、国籍法などの法律によって、国籍を与えたり剥奪したりすることができます。でも、日本国憲法の国民というのは、（本来なら）法律レヴェルではなくて憲法レヴェルの概念（のはず）で、「国籍保有者」の枠に収まりません。じゃあ国民は、憲法より上なのか下なのか。いろいろに考えられますが、要するに、日本語でははっきりしないのです。

こう考えてみると、小学校や中学校で習った「国民主権」という言葉も、ほんとうに理解するのはむずかしいです。国民に主権があるのなら、国民は国家の上位概念であるはずだ。でも、「国民」という言葉は、その成り立ちからして、「まず国があった」という考え方である。国が先か、国民が先か、わけがわからない。

じゃあどうして、こんなおかしな言葉が憲法に記されることになったのか。

それを明らかにするには、明治時代にまでさかのぼる必要があります。

明治維新のあと日本は、近代国家にならねばと、大日本帝国憲法（帝国憲法）を制定した。この憲法には、「臣民」という言葉が頻出する。

「臣民」は、「臣」＋「民」。実は、明治政府による造語です。

「民」はまあ、わかりやすい。人民、つまりふつうの人びとのことですね。英語だと、people である。

「臣」は、王侯に仕える役人のこと。中国では、人民を統治する役割だった。

中国語では、「臣」と「民」は相反するもので、一緒にすることはないのですが、それをくっつけて「臣民」という言葉をつくった。なぜひとまとめにしたかというと、「天皇に従う」という関係をはっきりさせるため。帝国憲法は、天皇を主権者と定めている。そもそも憲法がある前から、天皇は日本を統治していた。人びと（臣民）は、それに従っていた。そういうストーリーが必要だったからです。

人民は、国をつくる。王様なんかいなくても。国をつくると決め、必要なら独立戦争や市民革命を戦って、憲法を制定する。そこには、「われわれ人民は、これから国をつくります」と書いてある。その国にいる人間はすべて、人民。さきほどのべた通りだ。

臣民は、違う。臣民＋天皇、で国である。臣民だけでは、国をつくることができない。よって臣民は、国の主人公でも主権者でもない。天皇がいなければ、何もできない。きみたちはおとなしく、天皇に従っていなさい。そして、天皇のもとで働く政府の偉いさんに従っていなさい。きみたちは、人民と違うのだから。――これが、帝国憲法が言っていることです。

天皇こそが無上の存在であり、その前に「臣民」が平伏している。「臣民」には、政府の役人（統治する側）も一般の人びと（統治される側）もいるわけだが、そのことに文句を言わない。こういう国の成り立ちを語っているのが、「臣民」という言葉なんです。

さてこの「臣民」という言葉は、江戸時代まで存在しなかった。それが急に思いつかれたのは、英語でいう「subject」から来ている。

「subject」は辞書をみると、「主題」「対象」「臣下」などいろいろ意味がある。ここでは「臣下」、王様の命令を聞いて、統治される人びと、という意味ですね。

日本語に、これにちょうどあたる言葉がなかった。そこで、「subject」を「臣民」と訳すのだ、ということにしたのです。

こういうわけで、「臣民」を逆に、英語に訳そうとすると、あてはまる単語がない。さっきの「水」と「water」みたいになっている。

戦後、「臣民」という言葉はなしにして、「国民」という言葉に置き換えた。「国民は主権者です」という文章も、書き加えた。でも日本国憲法をみると、第一条から第八条までは天皇の規定が書いてあり、「国民統合の象徴」ということになっている。天皇は、国民の一人なのか国民でないのか、あいまいです。それは、天皇は「臣民」ではなかったことが、尾をひいているのです。

このように、「臣民」という言葉のルーツをたどると、天皇をふつうの人間を超えた存在としてまつり上げようとした明治政府の意図に気づくことができる。すると、「臣民」→「国民」という日本語につきまとう、思考の枠組みから自由になれる。

言葉を大事にし、言葉のことを考え、言葉が表す概念や思考を相対化するとは、このように、自分が知らず知らずのうちに組み込まれている考え方のシステムに気づくきっかけとなるものなんです。

「臣民」という言葉は、法律用語としては、ほとんど見かけなくなりました。

大東亜戦争で敗北した日本は、ＧＨＱの指導で、帝国憲法を日本国憲法につくりかえました。その際、「臣民」を「国民」に置き換えた。新聞や雑誌は、「臣民」という言葉を使わなくなった。「国民」というようになった。

ほかに、左翼の人びとは「われわれは人民だ」とか「市民だ」とか言うようになった。

けれども、日本人の頭のなかから、「臣民」という言葉が一掃されたかというと、そうではない。よく見かけるのは、外国の書物の翻訳です。たぶん「subject」を翻訳したのだと思うが、「臣民」と訳している。これだと、外国にも「臣民」という概念があることになってしまう。ごく最近の翻訳本にも、いっぱいみつかりますよ。明治政府の呪いが、まだ令和の日本人をとらえているのです。

外側から日本語を眺めて、はじめて気づくこと

さて、英語には「国民」に当たる言葉がない、という素朴な疑問から、いろいろな歴史的経緯が浮かび上がってきました。

英語と対比するからこそ、「国民」「臣民」という言葉の意味をより深く理解できるようになった。これが大事な点でした。

外国語を学ぶことは、母語の枠組みから自由になり、自分の思考を相対化するためだ、と言いましたね。その結果、母語をずっと正確に用いることができるようになります。

先ほどの「水」の例だってそうです。英語は「water」を熱したものを「hot water」という。でも、日本語では水を熱したものを「お湯」という。この対比から「水」という言葉には、「冷温　常温」という温度の要素も含まれていることが見えてくる。

何となく使っている母語の言葉の意味を、より厳密に理解し、より正確に使えるようになる。外国語を学ぶことには、そういう意義があるといっていいでしょう。

頭をやわらかくする「逆引き」勉強法

というわけで、そろそろ辞書で学ぶ極意をまとめておこう。

それは「逆引き」することです。

たとえば、「国民」は英語で何というか。和英辞書を引いてみると、「nation」と書いてある。そこで今度は英和辞書で「nation」を調べてみる。すると「国民」のほかに「国家」と書いてある。この時点で、「あれ？」と思う。

そこでさらに和英辞書で「国家」を調べると、「country」「nation」「state」などと書いてある。いっそう疑問は深まる。「国民」っていったいどんな意味なんだ？　と考えるきっかけになる。

あるいは「自由」は英語で何と言うか。

辞書を引くと「liberty」「freedom」と、ふたつの単語が書いてある。ひとつの概念にふたつの言葉が対応するのか？　「liberty」「freedom」は、別々の概念であるはずです。

そこで、英語辞書で「liberty」「freedom」を調べてみる。少ししっかりした辞書ならば、「liberty」は「拘束からの自由」、「freedom」は「権利を行使する自由」と書いてあるはずです。

だから、権利を行使する自由である「言論の自由」や「信教の自由」はそれぞれ「freedom of speech」「freedom of religion」である一方、王の圧政からの解放のために民衆を率いる女神像は、「The Statue of Liberty」なんです。

日本語ではどちらの概念も「自由」。日本語だけで考えていると、「拘束からの自由」と「権利を行使する自由」を一緒くたに考えることになってしまう。そもそも日本語という言葉がそうできているのだから、仕方がない。でも英語に触れたあとでは、概念を分けて考えることができる。

つまり、英語に触れることで、日本語しか知らない頭では考えられないことを、考えられるようになるんです。これは大きな武器にならないだろうか。

異なる言語同士で、概念が完全一致する単語は、なかなかないと思う。

そこで、辞書の逆引きを繰り返すと、いまの例のように、次々、関連のある別の概念が登場する。そのたびに、日本語の思考の枠組みの、外の空気を吸うことができる。混乱するかもしれないけれど、それは、新しい言語世界の入り口に立っている証なんです。

外国語の辞書は、単に母語を外国語へ、外国語を母語へと置き換えるための道具ではありません。外国語を学ぶ本当の意義は、自分の思考を相対化するため。外国語を調べる辞書は、本当は、自分の思考を相対化するためのツールなんです。

外国語を学ぶことで、日本語では考えられないことを考えられるようになる。

外国語との対比で日本語を眺めてみることで、日本語をより厳密に理解し、正確に使えるようになる。これはＡＩの自動翻訳機なんかでは、できない芸当なんです。

言葉のなりたちから見えてくるもの

辞書による学びを深めてくれるのは、語源が載っている辞書です。

とくに英語は、比較的新しい言語である。言語の骨格はゲルマン語なんだけど、単語にはラテン語、ギリシャ語からフランス語を通すなどして借用され、変化してきたものがごちゃ混ぜになっています。

たとえば「salary（給料）」の語源は「salarium」。そのまた語源は「sal」で、どちらもラテン語で「塩」の意。古代ローマでは給料が「塩」で支払われていたから。そのころ「塩」はとても貴重だったわけです。

もうひとつ例をあげましょう。「school（学校）」「scholar（学者）」の語源は「schola」で、ラテン語で「学校」の意味。そのまた語源の「skhole」は余暇の意味だという。

かつて学問は、庶民に開かれたものではなく、裕福な人びとだけのものだった。金銭的にも時間的にも余裕のある人びとが、余暇に趣味で始めたのが、学問だった。そこで「余暇」を表すラテン語が、「学校」の意味になったのです。

語源がわかると、言葉の由来や成り立ちがわかる。理解が深まる。言葉を通じて歴史を知ることもできる。

このように辞書を活用するごとに、頭が柔らかく、しなやかになっていくのがわかります。

これは、「辞書遊びのすすめ」ですね。必要なときだけでなく、気が向いたときに、辞書を繰ってみると、そこにはもうひとつの世界が広がっている。

「権威」を使いこなす

事典は「ものを考える土台」

国語辞典、外国語の辞書もですが、ぜひ本棚に並んでいてほしいのが百科事典です。

「事典」とは何か。

まず「言葉の意味」を記した辞典とは違う。「事典」とは、ものごとの「内容」を説明した本のこと。「百科」がついているので、「あらゆるものごと」の内容を説明した本、ということになる。

そんな事典にも、もちろん書き手がいます。

私も社会学事典や思想事典のたぐいの、項目をいくつか担当したことがある。

事典の執筆を依頼されたら、まずやることは、図書館でいろんな百科事典の、依頼されたのと同じ項目や関連する項目を片っ端からコピーして、全部に目を通します。まる写しするのが目的じゃなくて、その逆です。誤りを防ぐため。そして、同じ表現の重複がないようにするため。同じ項目を説明するのだから、似通ってしまっても当然なのだが、そこが腕の見せどころです。でも、あまり好き勝手なことを書くと、読者が迷惑するから、おとなしく堅実第一で文章をつづる。

事典は、書き手が自己主張をする場ではありません。知識を共有し、ものを考える土台を提供するのが、事典の役割です。だから、論争を招くような内容であってはいけない。とは言え、せっかく新しい事典なのだから、これまでに書かれた項目よりも、共通知識にする新しい内容を積み重ねられるように、半歩でも一歩でも前進するように書く。そういう書物が、事典というものだということは、まずわかってもらいたい。

項目を書くと、校閲（出版社の、間違いを探す係のひと）のチェックが入るだけで、ほかの執筆者や編集者のチェックは入りません。ここが辞書と違う。辞書は、全体が緊密に構成されたひとつの著作物なのですが、事典は、各項目の書き手がばらばらに書いた原稿の寄せ集めです。よって、（大きな声では言えませんが）あまり信用しすぎてはいけないのです。

だから事典の項目には、最後のところに誰が書いたか、「執筆者」が記してある場合があります。

紙の事典でしか得られないこと

最近は、「ウィキペディア」みたいな、ネット事典も重宝されています。たしかに便利です。でも、ものごとをきちんと理解し、より深く考える力を養うには、やっぱり紙の事典がいい。

そう考える理由は、ふたつあります。

第一に、ネット事典は、内容が正しいかどうか、とても危うい。しかも、どんどん書き換えられていく。複数の書き手による相互チェックがはたらくから、ネット事典はよいという意見もあるが、私はかなり懐疑的です。

ネット事典は、論文や本を書く場合に、出典や参考文献に掲げることができません。論文や本は、正しい知識を共有する仕組みですが、よほどのことがない限り、ネット事典の情報をそのまま使わないのがルールです。

つまり、ネット事典はまだまだ「信用できる」と認められていない。ネット事典は「権威」ではないんです。ネット事典の引用ですませているのは、学部学生のレポートか、社会人でもシロウトさんですね。

もちろん、ネット事典を参照してはいけない、と言いたいのではない。ちょっと調べるにはとても便利なんだから。けれども、第三者にしっかりした内容を伝えたい場合には、ネット事典（だけ）からえた内容は、含めないように注意してください。

出版されている事典類ならば、版元の担当者がしっかりと内容を精査している。出版された事典は「権威」です。だから論文や本に出典として掲げても、信用が損なわれることはありません。

事典を執筆しているのは、それぞれの道のプロ（学者や専門家）です。

学者や専門家は、自分の専門分野には通じている。一〇〇パーセント正しいとは言えないが、そこを疑いだしたらきりがない。さまざまなメディアでいい加減な解説がはびこるなかで、「もっとも正しい」とは言える。そういう約束なのです。

となると、「電子事典」はどうだろう。

紙で出版されたものが、そのまま電子化されている。いちいち重たいのを引っ張り出してページをめくりたくない、という人には便利です。

それでも私は、紙の事典をおすすめしたい。なぜなら紙の事典は、気が向いたときにパラパラと眺めるのに、ちょうどいいから。

わからないことだけを調べるなら、電子事典でもいいかもしれない。

でも紙の事典の最大の効用は、ぱらぱらページを繰っているうちに、知らないことがらの知識が目に飛び込んでくること。これは、電子事典では得難いメリットです。

必要に応じて事典を引くのは「情報収集」「参照」の域を出ない。でも、ランダムにページを繰って未知なることがらと出会うのは、とっておきの散歩。いつ役立つかわからないのに、いつかのために蓄積する。つまり、教養を深めるということです。

これが、紙の事典をすすめる第二の理由です。

事典で遊ぶ

一冊の百科事典から広がる世界

ひと昔前まで、一〇巻も二〇巻もある百科事典が、家庭の本棚に置いてありました。でもそういう文化は、廃れてしまいました。百科事典は場所をとるし、値段も高い。その割に、あんまりなかみを読まない。これでは、廃れてしまっても仕方ない。

そこですすめたいのが、一冊ぽっきりにまとまっている百科事典です。

これなら1万円ぐらいで買える。場所も取らない。それでいて十分役に立つ。ふと思い立ったら手にとって（それなりに重いけど）、パラパラとめくることができる。「事典遊び」ができるわけだ。

百科事典に書いてある内容は、「自分より先に誰かが考え、広く共有されてきた結論」ですから、自分でものごとを考える場合の出発点になります。

ものごとをゼロから自分で考えるのは、けっこう大変。労力も時間もかかる。ならば、先人たちが蓄積してきた知識を拝借して、「その先」を考えればいいんです。

たとえば、百科事典で「構造主義」について調べてみる。

構造主義のところをみると、「人間社会には人びとが自覚していない無意識の〈構造〉があって、人びとはその〈構造〉に規定されてものを考えたり行動したりする、という考え方」、みたいなことが書いてある。（紙面の都合で、シンプルにまとめました。百科事典を買ってきたらさっそく引いてみよう。）

これは、ソシュールやレヴィ＝ストロースや、おおぜいの哲学者や思想家が考えたことをまとめたものです。百科事典でそれを読んで、「なるほど、そういうことか」と自分なりに理解できる。じゃあこれを、どう応用できるか、などと考えてみる。

するとついでに、「ポスト構造主義」というものがあるとも書いてある。「ポスト」とは「後の」ということだから、構造主義の後に発展した議論があるらしい。これについても調べてみよう。

百科事典を読むことで、こうした思考の展開が可能になるわけです。

「まる一冊、百科事典」は、読もうと思えば、なんとか読み切ることができる。テレビ番組の「もの知りクイズ選手権」に出ようと思ったら、お勧めの方法です。

権威は、自分のために使う

さて、たいていの知識は複雑です。当然ですね。

いま例にあげた構造主義は、哲学、言語学や精神分析、人類学など、いろんな分野の学問にまたがっていて、かなり難解。事典を読んだぐらいで、そのすべてを理解できるものではありません。

だけど事典を読めば、その知識の「香り」をかぐことぐらいはできる。最低限、どういうものかを理解し、関連する知識を追いかけていく方向ぐらいはわかる。

専門家から見れば、かじった程度かもしれないが、かじったのとかじってもいないのとでは、その後の展開に大きな違いが生じます。

事典をもとに考えたことは、もしかしたら次の選挙の投票に生きるかもしれないし、自分の人生の分岐点でも役立つ。まさに、問題に対処する教養として役立っている。

百科事典に載っている「誰々という学者がこのように結論しました」というのは、証拠（エビデンス）なのですね。

すぐ前でのべたように、百科事典は権威なのです。誰かと議論するときに、事典に書いてあった内容をもとにすれば、一定の「正しさ」にもとづいて自分の考えをのべられる。もっと言えば、権威にもとづかない（出所がはっきりしない）ようなことは、議論に組み込むべきではないのです。

権威にもいろいろあるけれど、私たちは権威を正しく使わなくちゃいけません。

権威というと、誰かが威張っていて、「ははあ」とひれ伏すイメージが強いかもしれない。あまりいいイメージではない。けれど、本来、権威は、自分のために使うものなのです。だから、何が権威かということをわかっていなくちゃいけない。

たとえば、哲学では何が権威か。経済学では何が権威か。

専門家でない人は、これがなかなかわからない。

そこで親切なことに、編集という作業によって、「権威」をまとめてくれている便利な書物。それが事典なんです。事典には、権威以外のものは載っていない。

百科事典に書かれている知識（過去に誰かが考え、人類の間で共有されているもの）をもとにして、自分の考えを発展させたり、人と議論したりするというのは、正しい「権威の使い方」のひとつです。

それに対してウェブは、噂話のかたまりです。信用してはなりません。
このように権威を使いこなすことが、ものごとを考えるコツですね。

百科全書と啓蒙思想

「すべての知識は、人間のものである」

ところで百科事典が、どうやって生まれたか知ってますか？

その歴史がわかると、百科事典の本質もわかるし、人間がいかに「知識」をかち取ってきたかもわかる。ぜひ話しておきたいところです。

事典はいわば、「ミニ図書館」なのです。

図書館は、大きすぎて、一生かかってもそこにある本すべてを読むことはできないけれど、百科事典ならば読めないこともない。

一生かかっても読めないものが、読めないことはないサイズに圧縮されている。すなわち百科事典は、「できれば全部、読んでくださいね」というメッセージを、あなたに送っているのです。

じゃあ百科事典は、誰に向けて作られたものなのか。

百科事典が誕生したのは一八世紀のこと。「百科全書派」という学派の人びとが「あらゆる知識を網羅した書物を作ろう」と考えた。いったい彼らは、誰に読んでほしくて百科事典を作ったんだろうか？

「啓蒙思想」という言葉を聞いたことはありますか。

日本語で「啓蒙」というと、知識のない人に知識を授けてあげる、みたいな意味になりますが、それは「教育」であって、啓蒙じゃない。

「啓蒙」は、英語でいうと「enlightenment」。「光を当てる」という意味です。啓蒙の「啓」は「ひらく」、「蒙」は「くらい」の意だから、まあ、素直に漢字に置き換えたものといっていいでしょう。

じゃあ「光を当てる」「暗闇をひらく」とは、どういうことか。

啓蒙思想は、一八世紀ごろフランスを中心に大流行した。その要点は、次のふたつにまとめられます。

1．知識は人に教えてもらうものではなく、自分で確認するものである

2．知識の原理は、「理性」である

1．は読んだままの意味だから、説明はいりません。

2．はこういうことです。

「理性」（英語で reason）とは、ものごとを合理的に考えて、理解する能力のこと。この理性の働きは、あらゆる分野に及んでいる。数学も化学も物理も、あるいは歴史も文学も哲学も、すべて理性の働きとしてとらえることができる。

この「理性」は、教会と無関係に活動する点に特徴があります。「理性」は、「信仰」と対立する概念なのです。

教会は、人間の霊魂を管理し、信仰を管理し、救済を管理する。理性ももともと、神の（ということは、教会の）管理下にあると考えられてきた。だから、人間がどんな知識をもってよいのか、教会がいちいちチェックしていた。地動説を言い出すと、教会から、宗教裁判にかけるぞ、と脅された。教会の考えに合わない本は、「禁書」に指定された。

というやり方を、もういい加減にやめようよ、というのが啓蒙思想です。

問題は、「理性」が、神のものか人間のものか。

聖書によると、神がすべてを造って、人間も造った。人間が理性をもっているのは、神が造って与えたからです。啓蒙思想も、これは認める。

では、理性は、教会が管理すべきものなのか。

当時は、宗教改革のあとで、プロテスタントの教会がカトリックから分かれて、盛んに活動していました。プロテスタントの教会は、ルター派、カルヴァン派、…といくつもあります。カトリックはひとつですが、よく考えてみれば、ほかにもギリシャ正教会などがあります。要するに教会はいくつもあり、人類の一部をカヴァーしているにすぎない。

フランスは、プロテスタント（ユグノー）を何百万人もみな殺しにして、残りは国外に追っ払ってしまったので、国内にはカトリック教会しかありません。カトリック教会が威張っていました。フランスの知識人は思います。理性は、神が人間に与えたかもしれないが、人間が自分で使いこなすべきもの。理性は、神の精神と同じはたらきをするから、人間の精神のなかでもっともすばらしい。そこでせっかく、理性によってものを考えたり、学問をしようとしたりすると、カトリック教会がうるさく干渉する。理性をそんなに大事にするのは、イエス・キリストや教会がどうでもいいというつもりか？　さては、無神論だな、だってさ。そういうんじゃありません。理性と信仰は両立するのです。理性は、神が造ったこの世界の仕組みを、数学や物理や化学や天文学や、哲学や芸術や…の活動を通して、明らかにするプロジェクトなんだから。

これが、啓蒙思想の言い分なのですね。そのキーワードは、理性。理性の光が、人間の愚かな蒙昧（もうまい）の暗闇を照らすのです。

啓蒙思想にかかわる人びとの総力を結集するプロジェクトとして考えられたのが、百科全書です。人間の知性は、教会に指導されなくたって、ちゃんと発展していけるんだぞ。そう主張する市民階級の、自己主張の産物でした。

百科全書を手にとれば、読みさえすれば、誰でも理性を掲げる啓蒙思想の隊列に加わることができる。啓蒙主義は、近代の合理主義を用意した、こんなにも革命的な思想だったのです。

啓蒙思想の仲間たち

こうして理性は、哲学の原理となった。いや、自然と社会を考える原理となった。

教会は人びとに信仰を強要する。イエス・キリストを信じないと救われないよ。

それに対して、哲学者は言う。それはよくわかった。しかし、救われるかどうかは、終末と最後の審判が訪れてからの話だろう。それまで、人間は地上で、家族や社会を営み、ビジネスや政治にたずさわり、生きて行かなければならない。よりよく幸せに生きるために、人間は理性を授かった。その理性を用いて学問を発展させ、人間らしく生きるのを、教会は邪魔しないでくれるかなあ。

理性は、教会と無関係に、人びとの活動とともにはたらくもの。経済や政治や法律や、自然科学や哲学や芸術や、…。つまり、世俗の活動です。市民階級は、教会の言うことを聞かず、絶対王政の政府の言うこともあまり聞かず、自己主張を強めて行った。

この精神がそのまま啓蒙思想へとつながっていくのです。

啓蒙思想は、教会にとって、疎ましい存在です。教会は、聖書の解釈権を独占し、知識の担い手として権威を保っていた。それに対して、啓蒙思想は、理性によって、新しい知の権威を打ち立てた。そこで総力を結集して、編集・出版された『百科全書』が、現代の百科事典の源流です。

これがあまりにも立派にできたものだから、百科全書派の知識人たちは大きな影響力をもつようになりました。一八世紀のヨーロッパで、啓蒙思想が時代の主流となったのは、彼らのおかげです。

事典に学び、教養を深めようとしているみなさんも、私も、一八世紀から連綿と続く啓蒙思想家たちの仲間だということです。

第5章

知性を磨く
ネットとの付き合い方

ネットの正体を考える

ネット空間はとにかく巨大

ここまで、本による「学び」を中心に話してきました。

本による「学び」と、ネットの関係は？　ネットは「学び」に役立つのでしょうか。それには、ネットの性質をよくわかる必要があります。

ネットは、とにかく大きい。巨大である。これまで世に出た世界中の、すべての本を包み込むほどの大きさがある。

この大きさは、ちょっと想像できません。しかも日夜、なお巨大になり続けている。

あるったけの本を呑み込むこの大きさは、『四庫全書』を思わせる。世界史の時間に習ったと思うが、中国の清の時代に、『四庫全書』というプロジェクトがあった。中国でこれまで出版されたすべての本を、印刷し直してしまおう、という気の遠くなるような計画です。しかも、それを実行してしまうところがすごい。

仏教にも、『大蔵経』というものがある。中国でも朝鮮でも日本でも、何回か開版されている。日本で一番最近では大正時代に、『大正新脩大蔵経』が出版されている。これまで中国・朝鮮・日本で漢訳されて出版されたすべての経典、そして、律蔵や論書なども収めている。すべてを印刷してしまうところがすごい。

近代になってから、出版点数は膨大になっています。国立国会図書館は、日本のすべての印刷物を収蔵する決まりになっているが、海外の印刷物は手がけない。世界全体の印刷物はあまりに多すぎて、どうやってもカヴァーできないと思われていた。

ところが、ネットの登場によって、まったく新しい可能性が開けた。過去に書かれた、現在書店や図書館に並んでいる、将来書かれるであろう、ありとあらゆる本や印刷物を、ネットがすっぽり呑み込んでしまう可能性である。

最近出版される書籍はすべて、電子データのかたちで印刷所に渡され、本になる。もともと電子データだから、印刷した紙の本の発売と同時に、電子書籍も発売できる。本はもう、紙である必要がないということです。電子書籍は、印刷や流通のコストがかからず、在庫もなくてすむ。出版社や取次ぎや書店の存在理由がなくなる。図書館はどうか。過去の本は、電子データになっていない。だから、紙の本を収蔵する図書館は、存在理由があるようにみえる。でも遠くない将来、本は一冊のこらずPDFに読み取られて、電子化されるに違いない。

本がすべて電子化されて、ネットに呑み込まれると、個人蔵書（本を買うこと）が、意味がなくなる。図書館が、意味がなくなる。電子書籍は、もはや書籍と呼ぶべきなのかわからない。とにかく、ネットのなかですべてが起こり始めます。

手紙か、看板か、通信か

ネットの正体を、つきとめてみましょう。

ネットは、インターネット。ネットワークをつなげたネットワーク、のことである。インターネットにつながっているネットワーク（企業とかプロバイダとか）は、番号で識別できるようになっており、そのネットワークのなかのPCや端末も、番号で識別できるようになっている。初期のインターネットは、PCからPCにeメイルを送ったり、どこかのウェブページを閲覧したり、する程度だった。一九九〇年代からインターネットは爆発的に普及した。ここ一〇年ほどはスマホも普及し、人びとの生活を一変させた。

インターネットの本質は、いちおう、通信です。

通信は、特定の誰か（発信者）が特定の誰か（受信者）に信号を送ること。電話と同じです。信号を送るというアクションを起こさないと、何も起こらない。eメイルの場合は、手紙のようである。ウェブページは、看板のようである。それをみる場合は、相手を指定して、見にいかなければならない。ウェブ・マガジンやフェイスブックやインスタグラムやYouTubeや、いろいろなものが増えたが、通信であるという点は同じです。

通信と違っているのが、放送です。

放送はおよそ一〇〇年前、ラジオ放送として始まった。電波を使って、番組（音声）を送信する。受信機（ラジオ）を使って受信する。放送局（ごく少数の機関）が送信者で、不特定多数の人びと（聴取者）が受信者である。ラジオはやがてテレビに発展しました。不特定多数の人びと（視聴者）に向けて放送している点は、同じです。

放送と通信は、伝統的に別々のものだったので、法律も別々です。放送は公共のものとして、国が強く管理している。通信は、送り手〜受け手の間のことなので、そこまでの規制はない。

さて、通信がインターネットに展開すると、放送と通信の境目がわからなくなります。

たとえば、『半沢直樹』をTVの地上波で放送して、そのあとネットで視聴できるように公開したとする。番組を視聴するという点では、どちらも同じです。もしも同時に流して、スマホで視聴したとすると、まったく区別がつきません。

ネットは、もともと通信だったとしても、放送と変わりない役割をもち始めている。ということは、ネットは、公共の空間であって、放送と同様のルールや倫理が求められるようになる、ということだ。

本とネットが融合する未来

さて、本は、放送や通信とどういう関係にあるでしょう。

放送は、音声を、ついで画像を、電波で人びとに届けるもの（ラジオ、TV）だった。通信は、音声を回線で届けるもの（電話）だった。本は、文字である。放送も通信も、本を届けるものではなかった。だから、放送と通信と、出版（本）は別々の活動だった。

ところがネットは、回線で文字を届ける。回線の情報量が増すと、画像や動画も届けられるようになった。要するに、本をまるごと一冊、ネットで届けることができる。

ネットは、放送としての性質をもち始めている。本を届けることで、出版としての性質ももち始めています。

この先、どういうふうに発展していくのか、わからない。でもたぶん、ネットが、放送と本（出版）を呑み込んで、さらに膨らんで大きくなっていくように思われます。放送も本（出版）も、ネットの一部分になる、ということです。

情報の海から「本物の学び」を得られるか

本が本であることに変わりはない

本による「学び」を考えてきました。

でも、本がネットに呑み込まれるのだという。本はネットの一部になってしまうのだという。ならば、本による「学び」は、ネットによる「学び」になってしまう。

——と、早とちりしないでほしい。

たしかに、これから、電子書籍が増えていく。主流になるかもしれない。まず、古書籍や古典は、電子書籍でしか読めなくなるだろう。紙の本として出版しても採算が取れないからだ。学術書や、少部数の書物も、電子書籍になるだろう。そして、どうしても紙で読みたいひとは、少し値段が張るが、注文印刷（オンデマンドブック）のかたちになるだろう。

電子書籍は、ネットの一部です。電子書籍が増える。電子書籍でない本（紙でしか出ていない本）は、本全体のごく一部になるでしょう。

でもそれは、ネットの全体が、本みたいになることを意味しない。その逆です。ネットは音楽あり、音声あり、画像あり、ゲームあり、そのほか無数のコンテンツがあって、文字情報はそのごく一部である。その文字情報にも、ブログや、ウェブや、新聞や、雑誌や、…があって、書籍はそのまたごく一部である。要するに、ネットのなかに、本がある。

ネットのなかの本は、本以外の文字情報とどう違うのか。

それは、紙の活字媒体の場合と、似ているだろう。

新聞や雑誌や、書籍は、そうでない文字情報と違っている。第一に、編集を経ている。編集を経ているから、内容に信頼性がある。第二に、信頼できる版元から出ている。信頼できない文章は、新聞や雑誌や、書籍にしない。出版を断る、ということである。新聞や雑誌や、本は、ある程度の品質が保証されている。これは、印刷が始まった数世紀前からの伝統です。

そのなかでも書籍（本）は、編集期間が長い。新聞や雑誌は速報性を重んじて、出来事が起こってからすぐ、文字情報を提供する。急ぐので、生煮えの情報も多くなる。それに対して本は、最初から最後まで、著者が責任を負っている。長い時間をかけて考えて、書いてきた、著者がどうしても伝えたい内容です。本は、新聞や雑誌に比べても、なお一貫した言論なのです。

本が電子書籍となって、ネット空間で生み出されたり読まれたりしても、このことは変わらないでしょう。

つまり、本はネットのなかでも、やはり本です。

ネットでは、本が本であることを保証する仕組みが、整えられるだろう。編集にあたるプロセス。それを本として提供する団体（出版社にあたるもの）。なぜなら人びとは、本のようにしっかりまとめられた誰かの考えを、読みたいと思うからです。

ネットの情報は、うわさ話

このようにしてこれまでの、本の「学び」は、ネットでの本の「学び」に、移って行くでしょう。

けれど、ネットの本と、ネットの文字情報一般とを、ごっちゃにしてはいけない。本は紙でなく、電子情報になる。電子情報であるという見かけは、ネットのほかの文字情報とそっくりだからです。

たとえばウィキペディアは、本なのか。本に似ている。けれども、本ではない。まず、著者がいない。誰でも書き込めて、書き換えることができる。そして、編集がない。誰かが内容に責任をもっているわけではない。出版社もない。つまり、「落書き」と本質的に変わらないのです。

これは、ウィキペディアの多くのページが、わりにしっかりした内容であることを無視したくて言っているのではない。多くの人びとの善意の努力が、注ぎ込まれている。でも「落書き」になってしまっても仕方がない仕組みでできているのはたしかなのだ。

ネットには、さまざまな掲示板がある。ブログや書き込みがある。みなさん毎日、見ているでしょう。

私に言わせると、ネットの文字情報は「ゴミ溜め」です。

ゴミ溜めの特徴は、ゴミがあること。でもその隣に、すばらしい価値のあるものもあることです。価値のあるものと価値のないものが、一緒くたになっているのが、ゴミ溜めです。ゴミだけなら、無視してしまえばよい。ゴミだけなら、燃やすなり、資源として使える。まだ役に立つ。ゴミと価値あるものが共存しているから、やっかいなのです。

ゴミ溜めが言い過ぎなら、ネットの文字情報は、うわさ話です。大事なことも混じっているが、真に受けてはいけません。

ネットの文字情報は、本ではない。片端から読んで、学ぶわけにはいかない。本と違って、読めばなにか学べるわけではないのです。

というわけで、本による「学び」と比べると、ネットによる「学び」は、がくんと質が落ちる。そもそも「学び」にもなりません。

ネットのよい点は、問題点と表裏一体

ネットの問題点は、ネットのよい点と背中合わせです。

ネットのよい点。情報を発信するコストが少ない。誰でも、いつでも、好きなときに好きなように始められる。

こんなことは、いままでありませんでした。情報の発信に関して、完全な民主主義が実現したのです。こんなすばらしいことはない。

情報の発信には、コストがかかりました。放送は、ラジオ局やテレビ局に限られます。

新聞や雑誌は、新聞社や出版社に限られます。これらはマスメディアといって、発信のコストを負担しています。放送のための鉄塔を建てたり、印刷機を回して新聞や雑誌を配ったり、資本がかかります。マスメディアに認められないと、情報を発信するチャンスは与えられません。

それでも、情報を発信したければどうするか。同人誌というものがありました。小説や評論を書いた数人が集まって、経費を出し合い、小さな雑誌をつくる。原稿を印刷所に持ち込んで、数百部を印刷してもらう。それを手分けして、売りさばく。売れないので、ただで配ったりする。同人誌を文芸雑誌に送って、取り上げられると喜んだりする。短歌や俳句にも、同人誌のような考え方の雑誌が、たくさんあります。お金がかかるうえ、みんなに読まれるとは限らない。

インターネットは、これに比べると、毎月の通信料ぐらいしかコストがかかりません。ブログを書いたり、YouTubeをアップしたりすることができる。そして（運がよければ）何千人、何万人にもみてもらえる。マスメディアではないのに、マスメディア並みの発信力をもつことも、できなくはないのです。

こうして誰でも、文字情報の送り手になることができる。編集や、質の管理など、めんどうなことはありません。
その結果、どうしようもない内容のものも、増えてしまうのです。こうして、ネットの「ゴミ溜め」がうまれます。うわさ話の渦巻きです。それを読んで、価値のあることを見つけるのは至難のわざです。

いいねとフォローは人気のバロメーター

ネットは巨大です。全体が見渡せない。文字情報に限っても、「世界中の人びとが、過去または現在に書いたことの全体」に近づきつつあります。

ホルヘ・ルイス・ボルヘスの小説に、『バベルの図書館』というのがあった。その図書館（宇宙図書館ともいうよううだ）には、過去に出版された本、これから出版されるであろう本、あらゆるアルファベットの順列組み合わせの本が、収蔵されているという。（小説『バベルの図書館』も当然、ここに収蔵されている。）気の遠くなるような図書館だが、ネットはもうこれに近いものになっている。

これを、片っ端から読んで行っても、消耗である。

ではどうする。身近な知っているひとの、書いたブログやインスタグラムを閲覧する。

気に入ったページがあったら、フォローする。見ていたページの続きが閲覧できる。人気のページをみる。いいねが沢山ついているページは、人気である。みなが見ているページを、自分もみる。

検索結果は注目度を「見える化」する

知りたいページにたどり着く方法は、検索である。ネット空間では、検索が、基本的なツールだ。

検索には、キーワードが必要だ。絞り込むために、適当なキーワードをいくつか組み合わせる。たとえば、「日本橋、うなぎ、駐車場」で検索すると、「日本橋にあって駐車場があるうなぎの食べられる和食の店」がみつかると期待できる。

検索は、検索エンジンとよばれるソフトを使う。検索エンジンの会社は、コンピュータを何台もフル稼働させて、あらかじめネットの情報を読み込み、キーワードごとにストックしているらしい。そこで誰かが検索をかけると、あっと言うまに、目的のページに連れて行ってくれる。

検索ワード・ランキングというものもある。

どんなキーワードが最近検索されたか（つまり、人びとはいまどんなことに関心をもっているのか）を、検索してランキングにしたものである。人びとはこれをみて、そのワードを検索したりする。「人びとが関心を持っていることに、自分も関心をもつ」という、自己言及のループができあがっている。

流行やファッションは、自己言及のループでできあがっている。みんなが関心をもつことに、自分も関心をもつ。みんなが着ているものを、自分も着る。

ネットはどうしても、自己言及のループを内蔵し、自己言及のループを増幅してしまうようにできている。

けれども、真理（何が正しく、何が間違っているか）は、自己言及のループ（流行やファッション）と無関係です。真理を追究するのが、学問である。そして、「学び」でしょう。

つまり、「学ぶ」ためには、ネットにひきずられないことが、絶対に必要だ。本で「学ぶ」態度を、ネットの時代に保たなければならないのです。

玉石混淆のなかから本物を見つける

「本」にある情報に的をしぼる

「学ぶ」姿勢をどう貫くか。

本と、ネットの文字情報は、違います。

本は、どれも、著者が覚悟を決め、時間とエネルギーを注いで、書き上げた作品です。出来、不出来はあるかもしれないが、不出来なものは、著者の能力の限界です。著者にやる気がないわけではない。だから本を読めば、著者の思いが伝わってくる。それに感応して、ぶれない思いで、本から「学ぶ」ことができる。

これが成り立たないのが、ネットです。

ネットの文字情報で、本のように書かれているのはごく一部。ほとんどは昔だったら、日記や手紙や、下書きや落書きや独り言や、みたいな性質のもので、そもそも公開を前提にしないで書かれていたはずです。それがネット上で、誰でも目にできるようになった。このことにまだみんな、慣れていないのです。

日記には、誰かの悪口やかげ口を書こうと、差別的な言葉づかいをしようと、不正確な情報を書こうと、友人のプライベートな事実を書こうと、自由です。日記は公開されないからです。でも、ネットの日記は、もうただの日記ではない。言論の公共空間にさらされている。社会公共のルールに従わねばならず、責任も生じます。

このことがわかっていないひとが、多くいる。そこで、いろいろなトラブルになっているのは、ご存じのとおりです。

ではどうするか。

ネットにあふれているのは、大部分がゴミ情報だと思って、見切ることです。

そして、そのなかから「本」にあたる情報に的をしぼる。

ネットのなかで、「本」にあたる情報と、「学び」の姿勢で向き合っている人びとに的をしぼる。ネットのなかの、すぐれた本、すぐれた人びとに注目するのです。

すぐれた人びとは、本の著者かもしれない。本の理解者かもしれない。本の「学び」の先輩かもしれない。

そういう本や人びとは、ネットのなかで決してトレンドになってもいないし，注目されてもいない。でも、こういうものを学びたいというしっかりした思いと感性があれば、出会ったときにわかります。ちょうど古着屋さんの山のようにある服のなかから、お気に入りの一着がみつかるのと同じです。その時々の動向とは関係なく、「学び」を大事にする自分の嗅覚を信じて、ドロの中から砂金を探し出すように、そうした本や人びとを探し出すのです。

とは言え、いまはまだ、ネットの文字情報と別に、印刷された本も存在する時代です。伝統的な、書店や図書館もあります。そういう場所で、年代が上の人びとをみつけ、ネットのなかで年代が若い人びとをみつけたらよいでしょう。

ニュースサイトには偏りがある

本ではなくて、こんどはニュースの話。

みなさんのなかには、ニュースサイトを見ている人も多いと思います。

まず気をつけなくてはいけないのは、偽の情報（フェイクニュース）。これは、怪しいサイトや出所のあいまいなうわさ話で伝わってくるから、まあわかりやすい。

でも、信頼できるニュースサイトにも注意が必要です。

世の中には「大事なこと」と「みんなが知りたがっていること」がある。このふたつは喰い違うもので、ネットでは「みんなが知りたがっていること」が優先されがちです。

そもそも、ニュースの使命は、「大事な情報を伝えること」です。「大事なこと」だから「みんなに伝える」のがニュースなのだが、ネットニュースでは「みんなが見たがっている」から「大事なこと（に違いない）」というふうに、論理が逆転していきます。ネットのニュースは、編集なしの横並びみたいになっているから、みなが興味をもてば、注目を集めたニュースとして、どんどん大事な場所に移っていく。

ネットニュースは、信頼できるのか。

ネットニュースのサイトは、トップ／国内／国際／経済／スポーツ／…などと、ニュースをそれらしく並べています。けれども、サイトを立てているプロバイダは、新聞社でもなく取材能力もない。複数の新聞社や雑誌社などと提携してニュースを提供してもらい、並べているだけです。新聞社は、ニュースを束ねて商品として売っていて、責任をもっている。ウェブサイトは、仕入れたニュースをサーヴィスとして提供しているだけで、責任がありません。だから、ネットニュースは、仕組みとして信頼できないものが多い。

紙の新聞を発行する新聞社は、いちおう信用があった。そこで、その新聞社の名前をつけて、ネットニュースを提供する仕組みもあります。新聞にはデスクや校閲がいて、みんなでチェックをかけています。ネットニュースはその仕組みがゆるくて、よそのニュースをまるごと引用してすませている場合もあります。新聞社の名前がついているからといって、うっかり信用できないかもしれない。

紙の新聞も、電波のテレビも、やがてネットに統合されていくだろう。その結果、どういうニュースメディアができあがるか、もう少し様子をみないとわかりませんね。

基礎情報やデータを調べるのには便利

簡単な調べものには向いている

ネットのメリットは、とにかく手軽で素早いことです。

ある人物が何年に生まれて何年に没したか、どこ出身か、どの大学を出たか、両親の職業は何だったか、といった人物の基礎情報。昨年のＧＤＰはどれくらいだったか。東京都の人口は何人か。日本の有権者人口はどれくらいか、といったデータの類。

こういう、誰が書いても同じ基礎情報やデータを調べるのには、ネットはとても便利。でも、それ以上の記述はあまり信用しないほうがいい。

たとえば、ニーチェは１８４４年に生まれ、１９００年に死んだ。代表作には『ツァラトゥストラかく語りき』などがある。これくらいは、ネット検索でもまあいい。

でも、ニーチェはどんなことを考えた思想家だったか、となると、ネットに書いてあることはもう怪しい。がんばってニーチェの書いた本を読むか、信頼できそうな解説書を読んだほうがいい。

「事実」は誰が書いても同じだけど、「意見」はひとそれぞれ異なります。ニーチェはどんなことを考えた思想家だったか、は、研究者や本の読み手によって、それぞれ見解が分かれるだろう。つまり、意見なんです。

誰かの意見によれば、こうである。そのことには間違いない。しかし、誰かの「意見」をあたかも「事実」のように鵜呑みにしてはいけません。

ネットに書いてあることは、本と違って、書き手の素性がはっきりしない。一見もっともらしく書いてあっても、まるで信用ならないのです。

ネットで調べものをするのなら、誰が書いても同じ「事実」を参照する範囲に、とどめましょう。

SNSはトレーニングの場

もうひとつネットに特有な場が、SNSだ。

これはオンラインの、人びととの出会いの場。物理的な制約を離れているぶん、多くの人びとと限定された接点で、つながることができる。

SNSは、文字情報を発信するハードルが、とても低い。誰でも、思いどおりに、情報を発信できる、ということはさっきのべたとおりです。

この特性を使って、文章を書くトレーニングの場として、活用することができる。

ひと昔前まで、文章を書いても、発表する場が限られていました。でも今は、誰もがネットで発言できます。これはいい変化だと思います。

ネットで目にする文章は、玉石混淆です。いや、ほとんど石ばかりだ、と言ったほうがいい。でも、そんなことは気にしない。自分だけでもいいから、まともな文章を書くことをめざすのです。

小説を書きたいひとなら、小説を書いて発表する。

小説以外の文章も、同じことです。真剣勝負で、精一杯、レヴェルの高い文章を書けばよい。

「ただの文章」ならば、誰でもすぐに書ける。でも、「読むにたえる文章」を書くのはそれなりに難しい。訓練が必要なのです。文章を書く素質（才能）もないとだめです。

訓練しなくても読まれる文章もある。たとえば、スキャンダラスな内容ならば、文章が下手でも、多くの読者をひきつける。でも、長続きしません。

地味でも「読むにたえる文章」を書く力を磨いたほうが、はるかにためになります。ほんの少しでも素質（才能）があり、訓練して「読むにたえる文章」を書けるようになったら、それは職業にもつながりうる。

その、訓練の場として、ＳＮＳを使えばいいのです。ＳＮＳは、読んだひとの反応がみえます。コメントも貰えます。同じ志をもった仲間もみつかります。ＳＮＳが双方向であるところが、訓練に適しています。

オンライン講義の利点

ネットで大学の講義や人気の講演を聞けるのも、素晴らしいことです。

コロナで学校がリモート授業になった。教育が変わっていく。もう元には戻らないと思います。

教育はどう変わるのか。

その昔、「流し」の歌手の人びとがいた。

盛り場で飲んでいると、入り口の戸をガラガラとあけて、ギターを手にした流しのお兄さんが現れる。「一曲いかがですか?」リクエストした曲を唄ってくれて、一曲二〇〇円とか。渋谷には何百人もいたといいます。

こうした流しの歌手が消えてしまったのは、カラオケが普及したから。バーやスナックにカラオケが入ったので、流しの歌手はもういらない。失業してしまった。生演奏で、対面のサーヴィスをしていた人びとが、録音のソフトと機械に置き換えられていったのです。

学校の教員は、対面のサーヴィスである点が、流しの歌手さんとよく似ている。学校の教育は、教室で対面で授業を行なうことになっていて、だから日本中にとても多くの教員がいる。でも教育は、必ずこうでなければならないのか。対面の授業は、教員の能力によって、内容や質にばらつきがあります。同じ内容をいくつものクラスで繰り返し、来年も再来年も繰り返す。ムダが多い。そのエネルギーを投入してソフトにしてしまえば、数学や英語はもっと効果があがるかもしれない。

リモート授業をやってみて、これでもいけるとわかった。オンラインなら、わかりやすい高品質の授業を、日本中に届けることができます。大学の、大教室での授業がオンラインになれば、質が高まり、学費が安くなる。必ずこういう方向に、進むはずです。

このようにネットは、本と出版の世界を変える。放送と通信の世界を変える。職場と働き方を変える。教育と学校を変える。人びとの生き方と社会を変える。その大きなうねりを引き起こします。いまはまだ、そのほんの最初の段階。これからもっと大きな変化が、社会を覆うと考えなければなりません。

人からしか学べないこと

「できる人」はサンプルになる

文字が読めれば、人からじかに教えてもらわなくても、知りたいと思ったことを知ることができる。

人から教わるしかない場合、自分が知っている人からしか、教われない。そして、その人が知っていることしか、教われない。本から学ぶことができれば、そういう制約から自由になります。これは、すでにのべたとおり。

じゃあ、本さえあれば、人からは学ばなくていいんだろうか？

人から学ぶには、人から学ぶことなりのメリットがある、もちろん。

人から学ぶと、この人が知っていることを教わることで自分がどう変わるか、がはっきりみえる。

たとえば、小学校に入って、「ひらがな」を教わる。いままで文字をひとつも知らなかったとする。黒板に「あ」という文字が書かれるのを見ると、新鮮です。これが文字というものか。こうやって書くのか。

そして、このぐにゃぐにゃの文字を書けるようになるには、練習しなくちゃいけない。練習帳の「あ」の下に、薄い点線で「あ」と書いてある、マスが並んでいる。それをなぞって書く。その先の白いマスにも、同じように書いていく。

こんな具合にして「あ」という文字が書けるようになる。

さて、「あ」という文字を書く練習をしている最中、つねに意識しているものは何だろうか。それは、一番上に書かれている「あ」というお手本です。練習をすると、「あ」という文字を書けるようになる。「あ」という文字が書ける自分になれるという将来像が見えているということです。

人から教わるのもこれに似ている。

「わかる」とは、ある知識や技術が「すでにわかっている人」から「まだわかっていない人」へ、にじみ出すということです。

寿司屋に弟子入りした若者が、主人から酢飯の作り方を教わる。パン屋に修行に入った若者が、店長からパンのこね方を教わる。職人の世界だけではない。就職して営業部に配属された新卒が、上司から営業のイロハを教わる。

人からじかに教わっていると「学ぶとどうなるか」というイメージが明確に浮かぶ。明確だからこそ「早くそうなりたい、がんばろう」とモチベーションが高まる。まだ大してできない自分にとって、「目の前にできている人がいる」というのは、大きな励みになるんです。

これが、人から学ぶ最大のメリットです。

そう考えると、教師、親方、上司など人の手本となる人は、存在するだけで役に立っている。手取り足取り教わらなくても、そういう存在が身近にいるだけで人から学ぶメリットにあずかっている、と言っていいでしょう。

すべての出会いは学びである

学校を出て就職し、仕事もひととおり覚えてしまうと、もう人から学ぶことはなくなってしまうと思うかもしれない。

でも本当は、勉強や仕事を教えてくれる人だけでなく、すべての人との付き合いが学びにつながっているんです。誰とどこでどんなふうに出会ってもいいんだけど、過去の出会いも未来の出会いも、すべては学びである。そう考えると、人から受け取れるものが一気に増えます。

とくにいいのは、友人関係だ。

友人のよい点は、何人とでも同時に付き合えるという点。「本当の友人」とよべるほどの友人は片手に収まってしまうのかもしれないが、それでも、同時につきあう友人から絞り込まれるものだ。友人とは、「じゃあね」とわかれたら、次に会うまで、とくに連絡しなくてもよい。「今何してるんだろう」なんて考えない。だから、何人と友人になっても大丈夫だ。

恋人だと、こうはいかない。相手がいま何をしているかは、気になります。いつも相手のことを考えてしまう。「恋人は1人」は世間のルールでもあるが、そもそも自分の心のキャパシティからして、本気で付き合えるのは一人が限界だ。

そういうわけで、大人になってからの「人からの学び」は、友人関係として拡がりやすい。

友人とは、違いで結びつく

ここでひとつ意識するといいのは、人は「共通点」ではなく、「相違点」で結びつくということです。

共通点があるから話が弾んで、仲よくなれるんじゃないの、と思うかもしれない。それはそうです。でも、共通点だけだと、もの足りないものなんです。

よい友人は、何かしら自分と違うところがあるひとだ、と思います。

この世に二人として同じ人間はいないのだから、誰でも自分と、どこか違ってはいる。だから、相手が、自分と違うところがあるよい友人になるかどうかは、自分にかかっている。自分と違うところを、どう相手に見つけられるか。その違いを楽しめるか。そこがポイントなんです。

「学び」とは、知らなかったことを知ること。わからなかったことをわかること、でした。

人間同士の「学び」とは、相手のなかに、自分が知らないこと、わからないことがあって、はじめて成り立つ。

「違い」は、知らない、わからない、の源泉です。「違い」を見つけると、知らないことを知ること、わからないことをわかること、につながっていく。これを人間同士の「学び」と呼ばないで、どうしよう。

「違い」はまた、「敬意」の源泉でもある。

「あの人は、自分と違って、こういうところが素敵」「あの人は、自分と違って、こういうことができてすごい」——大事なのは、これはお互いさまだ、としっかりわかっておくことです。そうでないと、人と自分を比べて落ち込むことになってしまう。もちろん、友人は選び選ばれるものだから、自分みがきを怠ってはいけないんだけど。

自分にない何かが相手にはある。それと同様に、相手にない何かが自分にはある。そしてその「お互いに異なる何か」をもって、お互いをリスペクトしている。

相手が自分をリスペクトしてくれているに違いないと思うと、自分に対するポジティブなイメージ、自己肯定感が高まります。同様に自分が相手をリスペクトすることで、相手の自己肯定感も高まっているに違いない。

このように「違い」で結びついた関係性を通じて、自分自身をポジティブにとらえることができるというのが、本当のよい友人関係です。

「人からの学び」を血肉にする

友人とは、共通点ではなく相違点でつながっていたほうがおもしろい。

相手との「違い」に目を向けてみる。相手が、自分が手に取ったこともないような本を読んでいたりする。似たような本を読む友人でも、選ぶ本が違うかもしれない。同じ本を読んでいたとしても、付箋をつける場所や読後感は違っているだろう。

友人からおすすめの本を教えてもらったり、読後感を語り合ったりするのも、人からの学びと言っていいでしょう。

じつは私も、友人のおかげで読書の幅が広がった一人です。

小学生のころは関西の郊外で、放課後は近所の山で遊んでいた。そのあと東京に引っ越して、一人で本を読んだり、好きなように過ごしていた。そしたら中学で、だんだん成績が下がって、下から数えたほうが早くなった。これではまずいと思って、学校の勉強を、自分で予習するようにした。おかげで、東京大学の文科Ⅲ類（文学部社会学科にも進学できる）というところに合格した。

入試が終わってから入学まで、時間がある。これまで読めなかった大江健三郎の小説をひと山買ってきたが、一週間で読んでしまった。そのあと考えた。このまま社会学を勉強したのでは、世界が狭すぎる。自分に向いてないことをやろう。そう決めて、入学してから演劇サークルに入ったのです。

文科Ⅲ類の同じクラスには、詩人や小説家や評論家のタマゴみたいなクラスメートが大勢いて、現代詩人や哲学者やマルクス主義について教えてもらった。

演劇サークルには、芥正彦という天才がいて、現代文学や近代哲学やモダンアートやジャズや、なんでも教えてもらった。芥正彦という人は、映画『三島由紀夫vs東大全共闘50年目の真実』にも出てきますが、三島由紀夫と討論した伝説の俳優です。

社会科学は、大学院に進んでから、小室直樹博士に教えてもらった。

とにかく、自分より先に本を読んで、もう自分のものにしている人と話をすると、すぐその本の世界に入って行ける。ドストエフスキーもカフカもジョイスもベケットもコルトレーンやビリー・ホリデイも吉本隆明も、みんな知り合いみたいな感覚になる。自分ひとりで読んでいたのでは、そんなことは無理だったと思います。

芥正彦さんは、演劇サークルを前衛劇団に衣替えして、実験的な演劇をやり始めた。寺山修司や唐十郎（からじゅうろう）や…とも行き来があった。思わぬ成り行きで、私もしばらくつきあいましたが、人間と社会についていろいろ観察することができた。私の社会学に、プラスになったと思います。

そういうわけで大学時代、私は講義よりも、読書の記憶のほうが断然、色濃い。周りの仲間に刺戟されていろんな本を読んだ。ちょうど、東大闘争の時期だったので、それにも首を突っ込んで、いろいろな体験をした。それは確実に、自分のサイズを拡げてくれたと思います。

サークルのよい点は、先輩後輩のつながりがあって、一緒になにかをなしとげて、ロールモデルをみつけることができるという点です。

これはかつての旧制高校と似た状況だ。旧制高校は、クラブごとに分かれた寮に入る。ポート部とか弁論部とか、ね。授業は理系と文系に分かれているんだけど、寮では文理の別や学年も関係なく、大部屋で生活する。

そうすると、専門の話になる。みな、やっていることが違う。文系の学生でも、物理や化学の話に触れるし、理系の学生でも、哲学や文学の話に触れる。なんとなく、学問の全体がわかる。こうした環境が失われてしまったのは、ほんとに残念だと思います。

さあ、では、現代に生きるみなさんは、人からの「学び」をどうしようか。

ネットを通じて人とつながることができる時代は、人からの学ぶきっかけは、豊富に与えられていると思う。

でもそのネットのきっかけから、もう一歩踏み出して、友人として関係を築けるかどうかが、ポイントだと思う。

ネットで文字情報をさぐるだけでは、身になる知識をえる場としては、かなり危うい。知識をもっている人と出会い、知識を深めたいと思っている同士としてつながるツールとして考えれば、ネットのメリットは大きい。

気になる情報を発信している誰かのＳＮＳをフォローする。読書会を開こうと呼びかける。すべてが、人からの「学び」のきっかけになると思います。

第6章

「深い人」のほんものの教養

理系・文系の学問は、ひとまとまり

日本は「学び後進国」？

日本では高校生になると、「文系か理系か」選択させられる。大学受験のためだ。でも、学問は、文系／理系とはっきり分かれているわけじゃない。

人間として生きていく。それには、いろんなことを知っているに越したことはない。知識は、よりよい人生を歩むための、燃料みたいなもの。「広く浅く」（いや、もうちょい欲ばれば「広く、やや深く」だな）ものごとを知っていたほうが、よりよく生きられるに決まっている。

専門家になるのなら、その分野を究めて、ちゃんと訓練を積まなきゃだめです。でもそれは、高校を卒業して、大学へ行くなりしたあとのこと。高校生のうちは、文系も理系もなしに、まんべんなく学ぶのがよい。

そうすると、文系と理系の知識をあわせ持つことができる。これが、ほんものの「深い教養」の始まりだと思う。

文系/理系を分けたのにも、まあ、いちおうの合理性はあった。

理系の勉強は、なにかとお金がかかるんです。薬品を揃えて、実験室を整備する。工学部なら機械設備も必要だ。明治時代の貧乏な日本は、なけなしの予算を、優秀な少人数の理系の学生に割り当てた。誰が優秀か、誰が理系に向いているか、判定するために、数学の試験をしたんです。数学ができれば、理系。できなければ、文系。そうやって振り分けた。(数学だけでは心配だから、ついでに物理や化学の試験もしましたけどね。)

こんなやり方は、発展途上国のやり方なんです。

いまは、明治時代じゃあるまいし、政府も、人びとの生活も、だいぶ余裕が出てきた。それなのに、高校で文系/理系を分けるなんて、まったく必要ないことです。こんなやり方のおかげで、知識が偏ってしまう人びとが少なくない。あなたはそうならないようにしましょう。

中学数学を学びなおす

外国はどうかと言うと、文系／理系の区別なんか、あまりない。

たとえば、アメリカのハーバード大学は、入学すると、FASという学部にまとめて入れられます。FASとは、ファカルティー・オブ・アーツ・アンド・サイエンス。日本語に訳すと「文理学部」です。学部はこれひとつしかない。

FASはいろいろなコースに分かれていて、国際関係論をやるひと、コンピュータ・サイエンスをやるひと、みたいに将来に備えた授業をとります。でも学部としては、文理の垣根なくひとまとまりになっている。

大学はこんな具合ですが、ほかにもリベラルアーツ・カレッジ（四年制の教養系大学）というものがたくさんある。やはり文系／理系に関係なく、さまざまなことがらを学ぶ。アマースト・カレッジとか評判のよい学校が多い。

アメリカの大学は、入学試験がない。高校のときにSAT（英語や数学や…の外部統一テスト）を受けて、その点数と、高校の成績や推薦書、志望理由のエッセー（作文）をつけて、あちこちの大学に郵送する。合格の通知が来たら、そのなかから、入学の手続きをする。

学部を卒業すると、就職するひともいるし、大学院に進学するひともいる。大学院はたいてい、学部とは違ったよその大学院を選ぶ。

専門に分かれるのは、大学院です。法律はロー・スクール。医学はメディカル・スクール。神学はディヴィニティ・スクール。経営はビジネス・スクール。…などと分かれる。建築や、歴史や、文学や、哲学や、地域研究や、たくさんの大学院がある。

という具合になっている。

ヨーロッパの大学は、国ごとに少しずつ制度が違う。アメリカの大学は、そのいいとこ取りになっている。

高校生のときに、ちょっと数学が苦手だったりして、「自分は文系」と決めてしまったひとが多いでしょう。二次方程式の解き方なんか、忘れてしまっていないか。

大人になったら、数学なんて使わないから大丈夫？　ではないと思う。計算やテクニックより、考え方が大事です。たとえば、恒等式と方程式の区別がつかないひとがいる。恒等式は、いつでも成り立つ。方程式は、未知数xがどの値をとるかによって、成り立ったり成り立たなかったりする。因数分解は、恒等式。二次方程式は、方程式。同じイコールだからと、ごっちゃにしていませんか。

方程式は、xの値によって、成立ったり成り立たなかったりするので、条件を表すことができるのです。それに対して、恒等式は、つねに成立って、論理を表すことができます。このことがわからないと、ものごとを理性的に考えることができないな。

というわけで、中学校数学の教科書を、やり直すことをすすめます。きっといろいろな発見があります。

教養を正しく学ぶ

教養の3条件

教養を学ぶのには、目の前の目的がない。「この問題を解決するので、この本を読む」というものではない。とにかく、何でも読む、何でも知る、のが教養かもしれない。

だからと言って、巨大な教養の森にいきなり分け入るのは、無謀というものです。

では、どうしたらいい？　道しるべが必要です。ポイントは3つ。これを、今後のガイドにするといいでしょう。

1、バランスよく学ぶ
2、「ほんもの」に触れる
3、納得して、楽しむ

ひとつずつ、説明しよう。

まず、その1。教養は、バランスが大事。

たとえば、やたら鉄道に詳しいけれど、政治がからきしわからない、のでは、教養とは言わない。これでは、鉄道オタクです。

鉄道に詳しいのは、いいことなのです。でも、バランスも大事。鉄道だけに偏っているのが、問題なのです。

学問は、この世界の成り立ちや仕組みに迫るものです。

この世界は、物理や化学や天文や、政治や経済や社会や、文学や歴史や哲学や、家族や育児や介護や、医学や数学やコンピュータや、…がごっちゃになった全体です。そしてそれらは、すべてつながっている。そのつながりを、つかむことが大切なんです。

このつながった全体の、ある部分を物理という。ある部分を政治という。ある部分を文学という。学問は、便宜上分かれていますが、もともとはつながっていると考えなければならない。

たとえば、新型コロナウイルスの影響で、外出しにくくなった。インスタント食品の売れ行きが伸びた。それも、カップ麺より袋麺が売れ行き好調だという。なぜだろう。

学校も休校で、テレワークで、みな家にいる。家族がそろって食事をする。でも毎回、ちゃんと料理をするのは大変。安くて手軽につくれるのが、インスタントラーメンだ。結論として、売れ行きが伸びた。これは、何の学問の話だろうか。

新型ウィルスは、生物学。感染症の治療は、医学。流行を防ぐのに、外出を制限するのは、公衆衛生学（病気になったひとが、ほかのひとにどう影響するか、などを研究します）。ウィルスが怖い、感染が怖いという心理が働くのは、社会心理学（あるひとの心理が、ほかのひとの心理にどう影響するか、などを研究します）。栄養バランスを考えるのは、栄養学。政府が外出を控えるように指示したのなら、政治学。家族が疎ましくなってコロナ離婚になれば、社会学や法律学の話にもなる。——という具合に、コロナひとつをとっても、すべての学問がつながっているわけだ。

人として生きていくために

人間は、政治だけでも、経済だけでも、生きていない。政治も経済も何もかもひっくるめた、まるごとの人間として生きている。社会は、そんな人間の集まりです。

さて、学問には、それぞれの専門家がいる。彼らの仕事は、このまるごとの人間を、ひとつの切り口から見ることだ。たとえば、経済の専門家は人間を、生産と消費をする存在として見る。医学の専門家は人間を、骨と肉と生理のかたまりとして見る。法律の専門家は人間を、権利や義務の主体としてみる。こういう切り口で、人間をみるのは正しい。そして、役に立つ。

けれども、なんの専門家でもないひとが、ひとつの切り口だけにこだわって、別の切り口が見えなくなってしまうのはよくない。教養を深めていくには、こうしたいろいろな切り口があることを、まず知ることが大事です。

それには、いろいろな分野の本を順番に読むことです。あるときは政治の本を読む。あるときは経済、またあるときには哲学の本を読む。理系がちょっと苦手なひとでも、サイエンスの本を読んでみる。

本になにが書いてあるかも、大事です。でももっと大事なのは、どんな切り口で、書いてあるかなのです。そして、いろいろな切り口があることを知ることです。いろいろな切り口の、関係を考えてみることです。

それぞれの本は、専門家が書いたものだから、ほかの学問とどうつながっているのか、教えてくれません。でも、いろいろな本を読んでいると、「あれ?」と思う瞬間がある。

政治の本にはこう書いてあった、経済の本にはこう書いてあった。その関係はどうなっているのか。

この疑問は、大事な疑問です。そして、いろいろな本を読む、楽しみなのです。

そういう、疑問のポケットをたくさん持っているのが、教養の深い人間です。答えのない問題に、自分なりの答えを出すことができるかもしれないんです。

「ほんもの」に触れないと得られないこと

さて、教養の身につけ方、その2。「ほんもの」に触れること。

ほんものは、偽物でないもののこと。

じゃあ、偽物とはどんなものか。

あるアイデアを最初に誰かが考えた。本に書いた。そのアイデアは素晴らしいのだが、かなり難しかったとする。

そこで、その本から適当なところを抜き出して、「わかりやすく説明します」という名目で、でも大事なところを抜かして、読みやすくまとめた本を別な誰かが書いたとする。

この本は偽物だ。

偽物は、とても親切そうな顔をしています。「元の本を読むより手っ取り早く理解できますよ」と、甘い言葉をささやいてくる。だけど、読みやすいほうの本を読んだことで元の本を誤解してしまうとしたら、問題です。

世の中には、偽物があふれています。偽物のふりまく歪んだ知識から自分を守るため、ほんものに触れる心構えが重要です。世の中に本がたくさんあるけれど、読むのはほんものだけにするぞ、と覚悟すれば、読むべき本は、ほんのひと握りなんです。

では、どうしたらほんものと出会えるのか。

ふた通りの方法があります。

ひとつは、古典（あるアイデアを最初に考えた誰かが、自分で書いた本）を読むことです。外国語の場合は、その翻訳書でもよろしい。それでも、多くの場合、古典そのものを読むのは、かなりハードルが高い。

そこで、もうひとつは、古典をしっかり勉強した人が書いた、まっとうな解説書を読むこと。偽物でない、まっとうな解説書の探し方は、第3章で説明したとおりです。

これなら、古典よりもとっつきやすい。とは言え、それなりに歯ごたえがあるかもしれない。（歯ごたえのなさすぎる本は、いちばん大事なところが抜けていて、偽物の可能性が高いから、要注意。）

偽物は、ほんものの顔をしていますから、見分けるのは困難。ほんものに触れると、ああ、さっきのは偽物だった、とわかる。ほんものに触れていくと、だんだん偽物を見分ける力がつきます。

ほんものに触れようと思ったら、多少の歯ごたえは覚悟しなくてはいけない。

では、その難しさとどうつきあうか。

すべての本は「攻略本」

私たちは、複雑な現実を生きています。

たとえば、経済学の本のほんものは、たしかに難解で複雑です。でも、現実の経済のほうが、もっとずっと難解で複雑です。

経済の本は、3時間や5時間で読めるかもしれない。でも、いきなり現実の経済を読み解いてしまうなんて、不可能に近い。

だから、経済の本を読むんです。ほんものの経済の本であっても、現実の経済よりは簡単だ。しっかり読めばわかるように、書いてくれてはいる。その内容を踏まえて、現実の経済を眺めたほうが、手っ取り早くその内実をつかむことができる。

つまり、書物は、現実社会の「攻略本」みたいなものなんです。複雑なゲームには必ず「攻略本」があるでしょう？　ゲームを上手にクリアしたい人は、お金と時間と労力をかけて、攻略本を読む。ちょっと大変でも、そうする。なぜかと言えば、そうしたほうが結局、手っとり早くクリアできるからだ。

古典や、古典のよい解説書を読むのも、似たようなもの。読むのにある程度、労力も時間もかかるけれど、読まないよりは読んだほうが、ずっとこの現実世界のことが読み解けるようになるのです。

教養は自分のためのもの

そして、教養の望ましい身につけ方、その3。自分が納得して、楽しむこと。自分で楽しむ。満足する。これが大切。

つまり、教養は、自慢するものではないということです。

教養にもとづいて、発言したり行動したり、してはいけないのではない。第5章でもすすめたように、読んだ本について考えたことを発信したり、誰かと感想をのべあったりするのは、学びを深める。よいことです。

でもこれは、教養をひけらかすのとは違う。教養があると思ってもらうために発言したり行動したり、はただの嫌味です。

教養に触れるのは、まず、楽しいから。楽しいから学んでいるうちに、結果的に、答えのない問題に自分なりの答えを出す準備が整うのです。要するに教養は、どこまでも自分のもの。自分が納得して、楽しめれば、それでいいものなんです。

ちょっと教養がついたかな、と思うと、そのことを誰かに認めてもらいたい、という心理になるひとがいます。けれどもそれは、やめておこう。みっともない。それに、その程度ではまだまだ教養が足りないことは、まる見えです。教養は自然ににじみ出るもの。そうでなければ尊敬されません。

パターンのないところにパターンを見つける力

考えないために暗記する

学校のことを思い出してみる。勉強には、「暗記」がつきものでした。

暗記はよくない、暗記は嫌いだ、と言うひとがいる。でも、暗記は必要。暗記にはいい点もあるのです。

暗記のいい点。それは、「結論のわかっていることは、途中をいちいち考えなくてもいい」です。

小学校では、かけ算の九九を暗記するでしょう。1の段から9の段まで、かけ算の結果を覚えてしまう。いちいち計算しなくてよい。だから、もっと複雑な二桁や三桁の計算もできるようになる。

そのほかにも、「三角形の面積は、底辺×高さ÷2」みたいに、覚えておくと便利なことはいっぱいある。

国語は、どうか。漢字の書き順とか、読み方とかを、まる暗記します。

歴史だって、「いいくに（1192）つくろう鎌倉幕府」みたいに、覚えておくと便利な年号がいろいろある。人物や出来事の名前も、まる暗記で覚えてしまう。すると、たとえば一二二二年に日蓮が生まれたと聞くと、ああ鎌倉時代のひとなんだ、ということがわかる。

暗記はこのように、「考えなくていいことを増やす」ことなんです。

すると、勘違いするひとがいる。暗記するのはいいことだ。じゃあ、暗記すればするほど偉いのか。

いえいえ、そうではなくて、暗記するのは、「考えるべきことに集中するため」なんです。

考えるべきことを暗記してはいけない

学校というところはなんでも暗記させる。暗記すると、テストでいい点が取れる。すると、なんでも暗記すればいい、という勘違いが起こる。(注)

そこで、絶対に避けなければならないのは、「考えるべきことを暗記すること」です。数学を例にすると、教科書はひと通り説明があったあと、例題があって、練習問題があるでしょう。ちょっと数値が変えてあるだけだから、例題をみれば、練習問題は解けるようになっている。そのあとの応用問題も、いくつか基本の解き方を組み合わせると、解けるようになっている。これを全部まる暗記してしまえば、期末テストぐらい解けてしまうのです。

で、まる暗記でどこまで解けるかと言うと、大学入試も解けてしまう。過去問をぜんぶまる暗記すればいいんだから。自分の頭を全然使わなくても、数学の大学入試で、合格点が取れてしまうんです。

ここで身につくのは、本当の数学力ではなくて、暗記したパターンを当てはめる能力です。そうした能力があると、本当の数学力がある人に混じって合格できてしまう。入学したあと苦労するのは、こうした人びとです。

高校までの試験の成績で、自分は学力があると勘違いするひとがいる。学力だと思っていたのは、暗記力です。また逆に、自分は学力がないと勘違いするひとがいる。ものごとをなんでもちゃんと考えようとすると、時間が足りなくて、試験でよい成績をとれないものなのです。

大学の数学科にも、物理学科にも、どんな学科にも、学力があると思って入学したのに授業についていけない、こんなはずではなかった、みたいに落ちこぼれるひとが大勢います。考えるべきところを、暗記ですませていたからですね。

暗記はよい。暗記は大事。でも、ここは暗記してはいけない、考えるところだ、というところは、しっかり自分の頭を使ってものを考えるクセをつけなければだめです。

予想外のことに出会い続ける

さて、話は数学に限らない。

（注）学校のことを、過去形にしたくないのは、現役世代の人びとは子どもがいま学校に行っていて、リアルタイムで学校に関わっているからです。それに回想のなかの学校は現に現役世代の人びとに、リアルに影を落としているのですから。

暗記は、パターンを覚えること。でも、パターン化してはいけない問題が、現実にはたくさんある。

そこで求められるのは、パターンがないところにパターンを見出す力です。過去問のように、これまでの問題解決のやり方をみて、真似をする、「傾向と対策」ではありません。むしろそうした、パターンの暗記から一番遠い能力。これが現実社会で起こるいちばん困難な問題に取り組むのに、有用な能力だと思う。

そういう能力は、パターン化された問題を順番に解いて行っても、身につきません。予想外に現れるパターンのない問題に、触れつづけ、考えつづけることです。

そういう能力は、どうすれば養われるか。自然が最良の学びの場です。

小学生の子どもがいたら、「学校の勉強はそこそこにして、野原で遊びなさい」と言うところです。

自然は、人間の都合どおりになってくれない。自然は、人間の予想どおりになってくれない。でも自然は、普遍的な法則のもとにあるので、パターンを発見できなくもない。そのパターンを発見することで、「教わらなかったことがら」への対応力が身につく。

子どもだけで遊ぶことの大事な点は、大人がみていないことです。子どもだけで遊んでいると、自然に秩序が生まれるのです。

大人は子どもを、管理しようとする。予想の範囲に収めようとする。これが、創造力にとっては、最大の敵なのです。最近の子どもは、保育園に行って幼稚園に行って、学校に行って稽古事に通って塾に行って、管理されっぱなしです。これが、暗記よりもっと有害かもしれない。

大人だって日々、パターンのない問題にぶつかっている。仕事もそうだし、恋人や家族との関係だって予想外のことの連続だ。心当たりがあるでしょう?

そこで行き当たりばったり、右往左往してしまう。

そんなとき問われているのは、必ず起こる予想外の出来事のなかの、隠れたパターンを見つけて、よい対処を考えること。

学校の勉強は大事だけど、学校で教えているのは、誰にも必ず訪れる、決まりきったパターンの問題ばかり。役には立つけれど、このパターンにあてはまらない問題もいっぱいある。だから学校の勉強だけでは足りない。深い教養こそ、その能力を養う助けになるんです。

誰もが自由に学べる時代

「学ぶ必要がない」なんてことはない

なぜ学ぶのか。勉強するのは何のためか。

いろんな答えがあるでしょう。

その1。しなくてはいけないから勉強する。その筆頭は、学校の勉強ですね。仕事で必要だから本を読むのも、まあこれに当たる。

その2。誰かに言われたわけではないけれど、知っておいたほうがよさそうだから、学び続ける。「教養を深めるため」の学びがそうだ。

教養を深めるための学びは、楽しいはずで、実際誰にとっても楽しいんだけれど、それにしても「さしたる必要に迫られていない」から、長続きしないかもしれない。必要に迫られていないと、優先順位が下がってしまう。忙しくて、つい後回し。じゃあ、どうしたら学びを続けられるか。

まず、人間の性質として、楽しいことは、忙しくてなかなか時間がとれなくても、続けられる。これは確かだ。ということは「いかに学びの楽しさを実感し続けるか」がカギになりますね。

学者は、学ぶことが仕事です。学んだあと、その成果を発表することも、仕事のうちです。学んだ。それをもとに考えた。そこで止まってしまうと、自分の考えたことは世の中に伝わらない。共有されない。宇宙には、たしかに存在するのに光でとらえられない「ダークマター（暗黒物質）」というのがあるらしい。世の中に伝わらない知識は、それみたいだ。学問の世界には、よく勉強してなんでも知っているのに、ちっとも文章を書かないダークマターみたいなひとが実はたくさんいる。学ぶことが仕事の学者は、本来、学んだ成果をアウトプットすることも、仕事のはずなんですけどね。

いっぽう、学者でなくたって、学んで考えて、アウトプットしてはいけないということはない。書店に行くと、たくさん本が並んでいる。そのうち、学者が書いた本など、ほんのわずかです。あとは全部、ふつうの人びとが学んで考えた成果だ。

本を書く場合の、たったひとつのルール。ほかの本と同じではいけない。ほかの本に書いてないことを書かないといけない。

まだ誰も考えていないことを、思いついて発表する。昔は、あまり変わった考えだと、キリスト教会に迫害されたり、世間から変人扱いされたりした。それでも困難をおして、ときには犠牲を払いながら、頭の中にある考えを書きとめて世に出した。ダークマターであることを拒否し、みずから光を発した。その恩恵を、本を読める私たちは受けているわけです。

では、はたして恩恵を受けるだけでいいんだろうか？

学者は学者の仕事をすればいい。教養を深めるために学んだ人びとだって、学んだことを自分の輝く光に変えることができます。

それはたとえば、学んだことが意識せずとも仕事に生きて成果に結びつき、人びとに評価され喜ばれるという光り方かもしれない。あるいは、子どもを育て家族を支え、社会の礎のひとりとして悔いのない人生を送ることかもしれない。学んで考えたことをＳＮＳで発信して人に伝えるという光り方かもしれない。

学びを光に変える

たとえば、家庭で料理をつくっている人びとがレシピを投稿するサイトがある。作った料理の写真をレシピをそえて自分のSNSで発信している人もいますね。

自分の得意料理を作って食べる。家族に食べさせる。プロでなければ、昔はこれで終わりだった。でもいまは、世間に向けて発信し、「私も作りました！」「簡単でおいしかった！」といったフィードバックをもらうこともできるのです。料理をするのが楽しい。発信するのも楽しい。反応ももらえて楽しい。自分が発した光が、世界を駆け抜けて帰ってきて、勇気づけられる。「もっとレシピを研究するぞ」とモチベーションが高まる。

そんな好循環がネット上では簡単に起こる。

しかも発信にかかるコストは、ほぼゼロだ。

ということで結論。

学びを楽しく続けるには、学びの成果をアウトプットすればいい。

読んだ本の感想や、読んだ本をもとに考えたことを発信する。みずから光を発することをさらなる学びの原動力とする。これだけ、誰もが手軽に発信できるツールと環境が揃っている今は、恵まれた時代なのだと思います。

生きているとは、どういうことか。

家族や、友人や、おおぜいの仲間とコミュニケーションすることでしょう。

おはよう、と挨拶する。元気？　と尋ねる。ごく簡単なことでもよいのです。互いに関心を持ち、好意を持っていると伝え合う。そんなやりとりで、生きる勇気が湧いて来ます。

教養がある人は、ラジオ局で言えば、ＡＭ放送のほかにＦＭ放送のチャンネルも持っているようなものです。日常のやりとりは、雑音にかき消されがちで、ＡＭ放送。でもＦＭ放送なら、くっきりとしたメッセージが相手に伝わります。自分が何を考えているか、相手に何を伝えたいか、それがこの世界全体とどういう関係にあるか、よくわかる。あなたもそんな、２チャンネルの生き方をしてみませんか。

あとがき

「教養」について、あんまりいい思い出がない。

大学の最初は教養学部。中途半端な二年間だった。

教員になって、一般教育を担当。この科目はなくてもいい感が漂っていた。

「大正教養主義」といえば、古くさいなあという悪口である。

ところが時代が回って、四、五年前から「教養ブーム」なのだという。

社会に出た人びとが、熱心に学びを続けている。

そんな流れなのか、SBクリエイティブという出版社の小倉碧さんから相談があった。

「大人の学び」をテーマに、新書をつくりませんか。教養に興味のあるビジネスパーソンが多いんです。そうなんですか。仕事をしながら、専門以外のことも学び続けるのはいいことだ。だいたい私も、社会学が専門なのに、垣根をはみ出して、宗教だの法律だの人類学だの中国だの思想史だの、専門以外のことばかり追いかけている。自分の経験をお話しすればいいのなら、やってみましょうか。

Zoomでの語り下ろしになった。

録音を原稿にしてくれたのは、ライターの福島結実子さん。仕上がった原稿が届く。よくまとまっている。でも、読んでいるうちに、あちこち手を加えたくなった。その原稿を小倉さんが読んで、注文が出た。みたいに繰り返して、完成原稿になった。だから本書は三人の共同作業である。

コロナ禍のさなか、てきぱき作業を進めてくれた小倉さんや福島さん。SBクリエイティブのみなさんに感謝したい。そしてもちろん、本書を手にとった読者のみなさんに感謝したい。本書がみなさんの教養の栄養になり、人生が豊かになるなら、さいわいです。

橋爪大三郎

二〇二〇年一二月六日

著者略歴

橋爪大三郎（はしづめ・だいさぶろう）

1948年生まれ。社会学者。大学院大学至善館教授。東京大学大学院社会学研究科博士課程単位取得退学。1989-2013年、東京工業大学で勤務。著書に、『はじめての構造主義』（講談社現代新書）、『教養としての聖書』（光文社新書）、『死の講義』（ダイヤモンド社）、『中国vsアメリカ』（河出新書）、共著に、『ふしぎなキリスト教』（講談社現代新書）などがある。

SB新書　530

人間にとって教養とはなにか

2021年 1月15日　初版第1刷発行
2021年 3月28日　初版第3刷発行

著　者　橋爪大三郎

発行者　小川 淳

発行所　SBクリエイティブ株式会社
〒106-0032　東京都港区六本木2-4-5
電話：03-5549-1201（営業部）

装　幀　長坂勇司（nagasaka design）
装　画　羽賀翔一／コルク
本文デザイン　松好那名（matt's work）
D T P　米山雄基
編集協力　福島結実子
編　集　小倉 碧（SBクリエイティブ）
印刷・製本　大日本印刷株式会社

ISBN 978-4-8156-0750-0

SB新書

年を重ねるほど輝きを増す後半生の7か条
賢く歳をかさねる人間の品格
坂東眞理子

その常識が子どもをダメにする!
スタンフォードが中高生に教えていること
星 友啓

日本一壮絶な宇宙への夢をかけた挑戦!
宇宙飛行士選抜試験
内山 崇

予測不可能な時代の学校選びとは
学校の大問題
石川一郎

コロナでテクノロジーの進化は10年早まった
2025年を制覇する破壊的企業
山本康正

SB新書

孤独の時間が　豊かな人生をつくる！
ひきこもれ〈新装版〉
吉本隆明

世界を変えたウイルス。未来を生き抜く術は
コロナウイルスの終息とは、撲滅ではなく共存
池上彰
＋「池上彰緊急スペシャル！」制作チーム

人は好きなことをやるために生きている！
哀しみがあるから人生は面白い
下重暁子
弘兼憲史

110歳の世界的研究成果がおしえる！
医者が教える110歳の秘訣
志賀貢

あなたは人生で何を遺すか
こころの相続
五木寛之

SB新書

久米宏氏、絶賛！
ニュースの〝なぜ？〟は世界史に学べ
茂木 誠

〈今を知りたければ、歴史に学べ〉
ニュースの〝なぜ？〟は日本史に学べ
伊藤賀一

歴史を本当に動かしたのは「お金の流れ」だ
「お金」で読み解く世界史
関 眞興

「タテ」「ヨコ」でつながる一石二鳥の歴史
一気に同時読み！世界史までわかる日本史
島崎 晋

AI（人工知能）にも負けない知性を養う！
知性の磨き方
齋藤 孝

SB新書

池上彰が本気で問う。学び続ける理由
なんのために学ぶのか
池上彰

本だけが私たちに与えてくれるもの
読書する人だけがたどり着ける場所
齋藤孝

TVで話題の校長先生、初の親向け子育て論
麹町中学校の型破り校長 非常識な教え
工藤勇一

「知の巨人」が初めて明かす知的生産術!
調べる技術 書く技術
佐藤優

人気作家が明かすお金に縛られない生き方
お金の減らし方
森博嗣